Steiner/Mittländer/Fischer (Hrsg.)

Betriebsversammlung
Grundwissen für neue Betriebsratsmitglieder
Band 3

AUF DEN PUNKT

In der Reihe *Auf den Punkt* erscheinen 8 Bände mit *Grundwissen für neue Betriebsratsmitglieder*:

Band 1 Mitbestimmung
Band 2 Betriebsratssitzung und Beschlussfassung
Band 3 Betriebsversammlung
Band 4 Rechte und Pflichten als Betriebsratsmitglied
Band 5 Einigungsstelle und Arbeitsgericht
Band 6 Einführung in das Arbeitsrecht
Band 7 Betriebsvereinbarung
Band 8 Das Einmaleins der Betriebswirtschaft

Mit Online-Quiz unter
www.bund-verlag.de/Einsteiger-Quiz

Außerdem sind in der Reihe *Auf den Punkt* erschienen:

Michael Bachner (Hrsg.): BetrVG für den Betriebsrat
Christopher Koll/Maike Koll: Lexikon für den Betriebsrat

Steiner/Mittländer/Fischer (Hrsg.)

Betriebsversammlung

Grundwissen für neue Betriebsrats-mitglieder

Band 3

Autorin: Regina Steiner

4., überarbeitete und aktualisierte Auflage

BUND
VERLAG

Bibliografische Informationen der Deutschen Nationalbibliothek
Die Deutsche Nationalbibliothek verzeichnet diese Publikation in der Deutschen Nationalbibliografie; detaillierte bibliografische Daten sind im Internet über *http://dnb.d-nb.de* abrufbar.

4., überarbeitete und aktualisierte Auflage 2026

Umschlag: felixschramm Visuelle Kommunikation, Bochum
Satz: Dörlemann Satz, Lemförde
Druck: CPI books GmbH, Birkstr. 10, 25917 Leck

ISBN 978-3-7663-7593-3

kontakt@bund-verlag.de
www.bund-verlag.de

Inhaltsverzeichnis

Abkürzungsverzeichnis

Abs.	Absatz
ArbG	Arbeitsgericht
Art.	Artikel
AÜG	Arbeitnehmerüberlassungsgesetz
BAG	Bundesarbeitsgericht
BetrVG	Betriebsverfassungsgesetz
ff.	fortfolgende
GG	Grundgesetz
Hrsg.	Herausgeber
LAG	Landesarbeitsgericht
OVG	Oberverwaltungsgericht
Rn.	Randnummer
StGB	Strafgesetzbuch
z. B.	zum Beispiel

I. Einführung

Rückhalt der Kollegen

Für eine erfolgreiche Betriebsratsarbeit sind die **Beschäftigten** ein entscheidender Faktor. Zur Durchsetzung von Forderungen gegenüber der Arbeitgeberseite und bei Lösungen von Problemen im Betrieb benötigt der Betriebsrat den Rückhalt und die Unterstützung der Kollegen.[1] Gewinnt der Arbeitgeber den Eindruck, die Belegschaft steht nicht wirklich hinter dem Betriebsrat, wird die Betriebsratsarbeit schwer.

Ein Betriebsrat kann nur erfolgreich sein, wenn er die Mehrheit der Belegschaft hinter sich weiß. **!**

Ein weiterer Punkt ist, dass der Betriebsrat die Probleme im Betrieb anpacken wird, die für die Kollegen wichtig sind. Die Betriebsratspolitik muss an den Belangen der Belegschaft ausgerichtet sein. Der Betriebsrat sollte deshalb wissen, was die Belegschaft bewegt und wie seine Betriebsratsarbeit bei den Kollegen ankommt. Selbstverständlich kann man es nicht jedem recht machen und es gibt bestimmt auch Wünsche und Anliegen, die der Betriebsrat zurecht nicht als seine Aufgabe ansieht. Aber der **Kontakt** mit den Beschäftigten ist unverzichtbar, um in der Betriebsratsarbeit nicht fehlzugehen. Die Betriebsratspolitik sollte konsequent an den Interessen der Beschäftigten ausgerichtet werden. Aus diesem Grund müssen die Beschäftigten über die Betriebsratsarbeit gut informiert sein.

Betriebsräte sind keine Geheimräte

Hinweis:
Betriebsräte sind keine Geheimräte, sie sollten es jedenfalls nicht sein. Betriebsratsarbeit sollte transparent sein. Die Belegschaft sollte über die Arbeit des Betriebsrats Bescheid wissen, um mitreden und die Entscheidungen des Betriebsrats beeinflussen zu können.

1 In diesem Werk wird der Einfachheit halber nur die männliche Form verwendet. Die Form schließt selbstverständlich alle Geschlechter mit ein.

Die **Betriebsversammlung** ist ein geeignetes und gutes Forum, um über die Betriebsratsarbeit zu berichten und mit der Belegschaft in die Diskussion zu kommen. Dieser Band[2] beschäftigt sich mit den Möglichkeiten, die Beschäftigten an der Betriebsratsarbeit zu beteiligen. Dabei liegt der Schwerpunkt auf den rechtlichen Grundlagen und der Durchführung einer Betriebsversammlung:

- Was muss, was darf, was kann der Betriebsrat?
- Welche Verpflichtungen hat die Arbeitgeberseite?
- Und welche Rolle spielen die Gewerkschaften?

Es werden darüber hinaus Tipps für eine erfolgreiche Gestaltung der Betriebsversammlung gegeben. Die rechtlichen Grundlagen für die Betriebsversammlung sind im BetrVG in den §§ 42 bis 46 geregelt.

---

2 In der Reihe »Auf den Punkt – Grundwissen für neue Betriebsratsmitglieder« sind insgesamt 8 Bände erschienen (Näheres auf Seite 2).

II. Die Beteiligung der Belegschaft an der Betriebsratsarbeit

Neben den **Betriebs- und Abteilungsversammlungen** gibt es noch weitere Möglichkeiten, die Beschäftigten an der Betriebsratsarbeit zu beteiligen und den Dialog mit ihnen zu suchen. Welche Kommunikationswege der Betriebsrat dabei nutzt, entscheidet er selbst.

Der Arbeitgeber ist in keinem Fall berechtigt, dem Betriebsrat vorzuschreiben, wie er mit den Beschäftigten zu kommunizieren hat.[3] !

Die Betriebs- und Abteilungsversammlungen sind ein wichtiges aber nicht das ausschließliche Mittel für den innerbetrieblichen Austausch.

1. Information der Beschäftigten

Bei allen Mitteln der Information und Kommunikation sollte der Betriebsrat nicht vergessen zu überlegen, welche Kollegen der deutschen Sprache nicht ausreichend mächtig sind. Die Betriebsratsarbeit wird diese Beschäftigten nicht erreichen, wenn sie sie nicht verstehen können und nur so ungefähr wissen, worum es geht. Es kann deshalb notwendig sein, Informationen in **andere Sprachen** zu übersetzen.

Schwarzes Brett

Das klassische, in den Betrieben auch im digitalen Zeitalter nicht weg zu denkende Informationsmedium ist das **Schwarze Brett**. Dem Betriebsrat steht ein Schwarzes Brett zur alleinigen Verfügung zu.[4] Er muss es nicht mit der Personalleitung oder dem Arbeitgeber teilen. In größeren Betrieben kann der Betriebsrat auch mehrere Schwarze Bretter beanspruchen. Die Gestaltung des Schwarzen Bretts liegt allein in der Hand des Be-

3 BAG 9.6.1999 – 7 ABR 66/97.
4 BAG 21.11.1978 – 6 ABR 85/76.

triebsrats. Die Aushänge müssen nicht durch den Arbeitgeber genehmigt werden.

! Es ist zu empfehlen, den Arbeitgeber klar in seine Schranken zu weisen, wenn er sich bei der Informationspolitik des Betriebsrats einmischen möchte.

Das Schwarze Brett sollte aktuell sein und an einer prominenten Stelle hängen. Das ist eine Stelle, an der die meisten Beschäftigten regelmäßig vorbeikommen, wie z. B. vor der Kantine. Der Arbeitgeber ist nicht berechtigt, das Schwarze Brett einfach umzuhängen.[5]

Betriebsrats-Info

Die Beschäftigten können auch über **Informationsblätter, Flugblätter oder eine Betriebsratszeitung** informiert werden.[6] Ein solches Medium hat den Vorteil, dass man sich in Ruhe informieren kann und das Druckwerk auch mit nach Hause nehmen kann. Ein Schwarzes Brett ist nur für kurze prägnante Informationen geeignet. Denn keiner wird einen längeren Text im Stehen auf irgendeinem Flur lesen. Will man mit seinen Informationen mehr in die Tiefe gehen und ihnen zusätzliches Gewicht verleihen, bieten sich Informationsblätter an. In einem Artikel kann der Betriebsrat seine Argumente ausführlich darlegen und auch Stellung gegen die Position des Arbeitgebers beziehen. Ein weiterer Vorteil ist, dass die Informationsblätter verteilt werden müssen, dabei kommen die Betriebsratsmitglieder ins Gespräch mit den Beschäftigten. Sie können dabei nochmals ausdrücklich für ihr Anliegen werben.

Wenn es schnell gehen soll

Die Betriebsversammlung ist in manchen Situationen nicht der richtige Weg Informationen in die Belegschaft zu transportieren. Plant der Arbeitgeber z. B. eine umfassende Restrukturierung mit Personalabbau ist die regelmäßige Information der Belegschaft von großer Bedeutung: Welche Maßnahmen sind geplant, wie groß ist der Personalabbau, was kann der Betriebsrat erreichen, welche Gegenmaßnahmen sind geplant. Es empfiehlt sich, nicht im stillen Kämmerlein mit der Arbeitgeberseite zu verhandeln und das Endergebnis zu präsentieren. Hier gilt es die Belegschaft mitzunehmen. Dazu ist es ein gutes Mittel nach jeder Verhandlungsrunde mit dem Arbeitgeber ein Informationsblatt über die wesentlichen Inhalte herauszugeben. Betriebsversammlungen sind auch in dieser Situation ein wichtiges Mittel. Aber für die schnelle Weitergebe von Informationen nicht unbedingt geeignet.[7]

---

5 Hessisches LAG 15. 3. 1977 – 9 TaBVGa 32/07.

6 BAG 21. 11. 1978 – 6 ABR 85/76.

7 Personalabbau ist keine Tatsache, die der Geheimhaltungspflicht unterliegt – auch dann nicht, wenn der Arbeitgeber das behauptet, s. z. B. LAG Schleswig-Holstein 20. 5. 2015 – 3 TaBV 35/2-14 oder Hessisches LAG 20. 3. 2017 – 16 TaBV 12/17.

Hinweis:
Auch hier ist der Betriebsrat nicht verpflichtet, die Informationsschreiben dem Arbeitgeber vorher anzukündigen oder sie gar genehmigen zu lassen.[8]

Digitale Medien

Digitale Medien sind heute nicht mehr wegzudenken. Auch der Betriebsrat wird das im Betrieb bestehende **E-Mail-System** für seine Informationen und die Kommunikation mit den Beschäftigten nutzen. Die Kommunikation über E-Mail ist unverzichtbar geworden, wenn man Beschäftigte im Außendienst, im Homeoffice, auf der Montage oder an weiter entfernten Betriebsteilen informieren möchte. Es ist deshalb zu empfehlen, alle schriftlichen Informationen (Schwarzes Brett, Informationsblätter etc.) auch als elektronischen **Newsletter** zur Verfügung zu stellen. Viele Betriebsräte betreiben auch bereits eine eigene Homepage im **Intranet**.

Begriffserklärung:
Das Intranet kann man als firmeneigenes Internet bezeichnen, das nicht öffentlich zugänglich ist.

Ein solches Medium ist auch gut dazu geeignet, neben dem Informationsmaterial die abgeschlossenen Betriebsvereinbarungen und die im Betrieb gültigen Tarifverträge zu veröffentlichen. Damit bekommen Beschäftigte einen leichteren Zugang zu diesen für ihr Arbeitsverhältnis wichtigen Grundlagen.

Hinweis:
Dabei dürfen die Beschäftigten nicht vergessen werden, die keinen eigenen Zugang zum Intranet haben und auch keine E-Mail-Adresse. Insbesondere für Beschäftigte in der Produktion ist das noch immer die Ausnahme. Hier wird man bei den herkömmlichen Informationsquellen bleiben müssen.

Facebook

Viele Ratgeber für die Betriebsratsarbeit empfehlen als weitere moderne Informationsquelle und Möglichkeit des Austausches die Nutzung **sozialer Medien wie Facebook** und anderes. Begeistert wird über die neue Form der Diskussionsmöglichkeit geschrieben. Vergessen wird aber das Risiko, das die Nutzung solcher Medien mit sich bringt.

Vorsicht: Wer Facebook oder andere Medien nutzt, trägt automatisch Firmeninterna nach außen. !

8 ArbG Frankfurt 26.3.1997 – 14 BV 246/96.

Denn es wird jeder Beitrag auf dem Server des Betreibers der Plattform gespeichert. Das ist in der Regel nicht zulässig. Unbedachte und emotionale Äußerungen in sozialen Medien haben darüber hinaus auch schon Kündigungen nach sich gezogen. Es gilt der Satz »das Netz vergisst nichts«. Für die Betriebsratsarbeit und die Informationspolitik des Betriebsrats ist das deshalb kein geeignetes Medium. Zu schwierig ist die Abgrenzung, was man noch auf Facebook posten kann und was nicht. Aus diesem Grund sollte der Betriebsrat auch keinen eigenen Internetauftritt haben. Nicht zu verwechseln mit einem Auftritt im **firmeneigenen Intranet**.

2. Kommunikation mit den Beschäftigten

a. Sprechstunden

Sprechstunden

Der Betriebsrat hat das Recht, **Sprechstunden** für die Beschäftigten einzurichten (§ 39 BetrVG). Kann er sich über den Zeitpunkt und den Ort mit dem Arbeitgeber nicht einigen, entscheidet eine Einigungsstelle.

> **Begriffserklärung:**
> Eine Einigungsstelle ist eine Kommission, die mit gleich vielen Personen von der Arbeitgeberseite und der Betriebsratsseite besetzt ist. Den Vorsitz der Einigungsstelle hat üblicherweise ein Arbeitsrichter. Seine Stimme ist ausschlaggebend, wenn in der Einigungsstelle keine Einigung zwischen dem Betriebsrat und dem Arbeitgeber herbeigeführt werden kann.

Einigen sich Betriebsrat und Arbeitgeber auch in der Einigungsstelle nicht, entscheidet letztendlich der Richter, wie es gemacht wird. Die Sprechstunden können durch die Beschäftigten während der Arbeitszeit aufgesucht werden. Dafür darf ihnen das Entgelt nicht gekürzt werden. Die Sprechstunde ist ein gutes Mittel, mit den Beschäftigten im Betrieb zu kommunizieren. Auch die Vertrauensleute der Gewerkschaft im Betrieb können diese nutzen, um sich mit dem Betriebsrat auszutauschen. So ist der Betriebsrat immer gut über die gewerkschaftlichen Aktivitäten der Vertrauensleute im Betrieb informiert.

> **Hinweis:**
> Die Sprechstunde des Betriebsrats aufzusuchen, ist für manche Beschäftigte immer noch eine große Hürde. Das Problem ist, dass sie sich bei ihren Vor-

gesetzten abmelden müssen, wenn sie die Sprechstunde aufsuchen. Denn der Vorgesetzte hat ein Recht darauf zu wissen, wo der Beschäftigte ist, wenn er nicht arbeitet. Der Vorgesetzte darf den Beschäftigten aber nicht davon abhalten, in die Sprechstunde zu gehen.

b. Betriebsbegehung

Der Betriebsrat hat die Möglichkeit, **Betriebsbegehungen** zu machen. **Betriebsbegehung.**

Begriffserklärung:
Bei einer Betriebsbegehung kann der Betriebsrat alle Beschäftigten an ihren Arbeitsplätzen aufsuchen und so mit ihnen ins Gespräch kommen.

Dieses Recht hat er, weil er z. B. zur Prüfung der Einhaltung aller im Betrieb geltenden Vorschriften und Gesetze berechtigt ist, die Arbeitsplätze zu kontrollieren. Seine weiteren allgemeinen Aufgaben aus § 80 Abs. 1 BetrVG machen es zudem notwendig, die Arbeitsplätze aufzusuchen.[9] Unter der Bedingung, dass das Aufsuchen der Arbeitsplätze der Erfüllung betriebsverfassungsrechtlicher Aufgaben dient, muss der Arbeitgeber dieses dulden. Das Zutrittsrecht zum Arbeitsplatz ist auch nicht davon abhängig, ob der Arbeitgeber davon weiß und der Betriebsrundgang angemeldet wurde. Angekündigt werden muss der Rundgang nur, wenn nicht unerhebliche Beeinträchtigungen oder Unterbrechungen des Arbeitsablaufs erwartet werden.

c. Meinungsumfrage

Fragebogen

Es gibt keine Vorschrift zu Meinungsumfragen im Betriebsverfassungsgesetz. Der Betriebsrat hat aber das Recht, sich diejenigen Informationen zu beschaffen, die er zur Erledigung seiner Aufgaben benötigt. Auf dieser Grundlage ist er auch berechtigt, Fragebogenaktionen im Betrieb durchzuführen.[10] Die Fragen müssen sich inhaltlich auf die Betriebsratsaufgaben beziehen.

---

9 Buschmann in BetrVG Kommentar, Däubler/Klebe/Wedde (Hrsg.), 20. Auflage 2026, § 80 Rn. 23.
10 BAG 8.2.1977 – 1 ABR 82/74.

Hinweis:
Der Austausch zwischen Betriebsrat und Beschäftigten muss nicht allein mit den vom Betriebsverfassungsgesetz beschriebenen Mitteln stattfinden. Der Betriebsrat entscheidet über das geeignete Mittel.

Durch eine Meinungsumfrage kann der Betriebsrat vor wichtigen Entscheidungen auch zunächst die Meinung der Belegschaft einholen.

Beispiel:
Will der Arbeitgeber die Arbeitszeit im Betrieb ändern, stößt das regelmäßig auf wenig Verständnis bei den Beschäftigten. Durch eine Meinungsumfrage kann der Betriebsrat die Bedürfnisse der Beschäftigten erfragen. So kann er gegenüber dem Arbeitgeber Forderungen stellen, die besser die Bedürfnisse der Beschäftigten berücksichtigen.

d. Auskunftspersonen

Direkter Einfluss auf die Betriebsratsarbeit

Das Betriebsverfassungsgesetz eröffnet Möglichkeiten, Beschäftigte, die nicht Mitglied des Betriebsrats sind, an der Betriebsratsarbeit zu beteiligen. Soweit es für die Betriebsratsarbeit erforderlich ist, hat der Arbeitgeber dem Betriebsrat sachkundige Beschäftigte als **Auskunftspersonen** zur Verfügung zu stellen.

Begriffserklärung:
Unter Auskunftspersonen versteht man im Betrieb beschäftigte Kollegen, die bestimmte besondere Sachkenntnisse haben.

Beispiel:
Der Arbeitgeber will eine neue Software einsetzen. Der Betriebsrat befragt Kollegen aus der IT-Abteilung zu dieser Software.

Der Betriebsrat kann dabei auch vorschlagen, welche Personen er für geeignet hält. Der Arbeitgeber darf die Person nur ablehnen, wenn betriebliche Notwendigkeiten entgegenstehen (§ 80 Abs. 3 Satz 3 BetrVG). Sinn und Zweck dieser Vorschrift ist es, dass der Betriebsrat den Sachverstand, der im Betrieb zu bestimmten Themen vorhanden ist, für seine Arbeit nutzen kann.

Hinweis:
Problematisch ist dabei, dass diese Personen, anders als Betriebsratsmitglieder, keinen Kündigungsschutz genießen. Sie werden nicht frei agieren und sich überlegen: Was wird der Arbeitgeber denken, wenn ich diese Information so an den Betriebsrat weitergebe? Es will gut überlegt sein, welche Beschäftigten sich für eine solche Arbeit eignen. Es kann sein, dass der Betriebsrat sie in eine für sie unangenehme Lage bringt. Oder die gewünschten Auskünfte nicht korrekt erhält, weil die Person denkt, es könne für sie Nachteile haben, wenn sie den Betriebsrat unterstützt.

e. Vorschlagsrecht

Anliegen der Beschäftigten

Eine wenig beachtete Möglichkeit ist das **Vorschlagsrecht der Beschäftigten**. Die Belegschaft kann selbst für bestimmte Anliegen Unterschriften sammeln. Wenn sich 5% der Arbeitnehmer für das Anliegen stark machen, hat der Betriebsrat dieses Thema innerhalb von 2 Monaten auf die Tagesordnung einer Betriebsratssitzung zu setzen (§ 86 BetrVG).

Hinweis:
Über das Vorschlagsrecht können die Beschäftigten direkt Einfluss darauf nehmen, was der Betriebsrat auf seiner Betriebsratssitzung zu behandeln hat.

f. Beschwerderecht

Das **Beschwerderecht** gibt einem persönlich betroffenen Beschäftigten die Möglichkeit, sein Anliegen beim Betriebsrat vorzutragen (§§ 84f. BetrVG). Der Betriebsrat muss dann gemeinsam beraten, ob er die Beschwerde für berechtigt erachtet. Wenn das der Fall ist, wird er beim Arbeitgeber auf Abhilfe hinwirken. Auch dies ist eine Möglichkeit der Beschäftigten, direkt Einfluss auf die zu behandelnden Themen im Betriebsrat zu nehmen.

Hinweis:
Den wenigsten Beschäftigten sind die Möglichkeiten der Einflussnahme auf die Betriebsratsarbeit bekannt. Es wäre Sache des Betriebsrats, diese Beteiligungsrechte besser publik zu machen. Man sollte keine Scheu davor haben, dass sich Beschäftigt zu sehr in die Betriebsratsarbeit einmischen. Von einem lebendigen Austausch kann die Arbeit nur profitieren.

III. Rechtliche Grundlagen der Betriebsversammlung

1. Sinn und Zweck der Betriebsversammlung

Die Betriebsversammlung ist eine Präsenzveranstaltung

Eine Betriebsversammlung hat als **Präsenzveranstaltung** stattzufinden. Angesichts der Ausnahmeregelungen während der Covid-19-Pandemie muss das an dieser Stelle betont werden. Die Regelung des § 129 BetrVG ist am 30. 6. 2021 ausgelaufen. Seither ist eine Betriebsversammlung nicht mehr **virtuell** möglich. Das BetrVG spricht in § 42 BetrVG von einer Versammlung der Arbeitnehmer des Betriebs, bei der garantiert sein muss, dass die Öffentlichkeit ausgeschlossen ist. Wollte man Betriebsversammlungen virtuell zulassen, bedürfte es dazu einer Gesetzesgrundlage, die sicherstellt, dass die Nichtöffentlichkeit gewahrt und das Persönlichkeitsrecht teilnehmender Beschäftigter ausreichend geschützt wird.[11]

In vielen Betrieben setzen sich Betriebsräte über diese Grundsätze hinweg und veranstalten hybride Versammlungen. D. h., es wird Beschäftigten die Gelegenheit gegeben auch online an der Versammlung teilzunehmen. Diese Versammlungen erfüllen nicht die Voraussetzungen der §§ 42 ff. BetrVG und sind deshalb streng genommen keine Betriebsversammlungen.

Betriebsversammlung spannend gestalten

Die Betriebsversammlung soll die **Kommunikation** zwischen dem Betriebsrat und der Belegschaft fördern. Sie ist ein Ort, an dem sich Belegschaft und Betriebsrat gegenseitig informieren können. Der Betriebsrat hält seinen Tätigkeitsbericht und die Belegschaft kann ihre Wünsche und Kritiken äußern, Anträge an den Betriebsrat stellen und zu seinen Beschlüssen Stellung nehmen. Wie in Kapitel II. gezeigt, ist sie nicht das einzige Instrument, Betriebsöffentlichkeit zu schaffen, aber ein zentrales und wichtiges Instrument. Gerade in Zeiten, in denen die Arbeitsverdichtung zunimmt, massiv Personalabbau stattfindet, in bestimmten Bereichen Homeoffice-Arbeitsplätze zum Standard werden, bietet die Betriebsversammlung ein Forum, sich persönlich ohne Minderung des Arbeitsent-

11 Fitting, Betriebsverfassungsgesetz, Rn. 1a zu § 42 BetrVG.

gelts und ohne Zeitdruck zu treffen und auszusprechen. Auf der Betriebsversammlung wird jedem Beschäftigten klar, dass er kein Einzelkämpfer im Betrieb ist, sondern auch andere Beschäftigte gleiche oder ähnliche Probleme haben. Hier können **Diskussionsprozesse** angestoßen und **Lösungsvorschläge** erarbeitet werden.
Dazu ist es notwendig, dass die Betriebsversammlung nicht eintönig nach dem bekannten Muster abläuft:
- Begrüßung durch den Betriebsratsvorsitzenden
- Tätigkeitsbericht des Betriebsrats
- Bericht des Arbeitgebers
- Rede des Gewerkschaftsvertreters
- Verschiedenes
- Schlusswort des Betriebsratsvorsitzenden

Sieht die Einladung und Tagesordnung wie oben beschrieben aus, wird die Beteiligung an der Betriebsversammlung niedrig bleiben. Der Betriebsrat sollte versuchen, neue Wege zu beschreiten, die Versammlungen interessanter und spannender zu gestalten. Das wird sicherlich nicht beim ersten Anlauf perfekt gelingen, aber Schritt für Schritt wird sich die **Qualität der Betriebsversammlung** steigern.
Die Betriebsversammlung ist nicht zu verwechseln mit **Mitarbeiterversammlungen**.

Begriffserklärung:
Mitarbeiterversammlungen sind Veranstaltungen des Arbeitgebers und werden von ihm einberufen. Sie können nicht die gesetzlich zwingend vorgesehenen Betriebsversammlungen ersetzen. Denn sie sind kein Forum des Betriebsrats.

Nach dem während der Weimarer Republik gültigen Betriebsrätegesetzes war es dem Arbeitgeber nicht erlaubt, Konkurrenzveranstaltungen durchzuführen. Er durfte auf seinen Versammlungen keine Themen behandeln, die zu dem Geschäftskreis der Betriebsversammlungen zählen. So sah es jedenfalls das Reichsarbeitsgericht. Das **Bundesarbeitsgericht (BAG)** folgt dieser Rechtsprechung nicht. Der Arbeitgeber kann zu allen Themen Mitarbeiterversammlungen durchführen. Auch zu solchen Themen, die Gegenstand der Betriebsversammlung sind (siehe § 45 BetrVG).[12]

12 BAG 27.6.1989 – 1 ABR 28/88.

Der Arbeitgeber darf aber **keine Gegenveranstaltung** zu einer Betriebsversammlung abhalten und damit die Durchführung der Betriebsversammlung stören oder gar behindern.

> **Beispiel:**
> Das wäre der Fall, wenn der Arbeitgeber in zeitlicher Nähe oder gar gleichzeitig zu der anberaumten Betriebsversammlung eine eigene Mitarbeiterveranstaltung durchführt. Dadurch würde er der Betriebsversammlung den Boden entziehen. Man stelle sich einmal vor, der Arbeitgeber beruft am Tag vor der Betriebsversammlung eine Mitarbeiterversammlung zu exakt den gleichen Themen ein. Da es eine Mitarbeiterversammlung ist, besteht Anwesenheitspflicht für alle. Man kann sich nicht vorstellen, dass die Betriebsversammlung am nächsten Tag gut besucht werden würde.

Mindestens eine Betriebsversammlung pro Quartal

Die große Bedeutung der Betriebsversammlung lässt sich daran ablesen, dass der Gesetzgeber bestimmt hat, in jedem Kalendervierteljahr eine Betriebsversammlung abzuhalten:

Gesetz: § 43 Abs. 1 BetrVG
»Der Betriebsrat hat in jedem Kalendervierteljahr eine Betriebsversammlung einzuberufen und in ihr einen Tätigkeitsbericht zu erstatten.«

! **Die Mindestanzahl der Betriebsversammlungen pro Kalenderjahr steht nicht im Belieben des Betriebsrats. Es gibt eine gesetzliche Verpflichtung.**

Befolgt der Betriebsrat diese Vorschrift nicht, ist dies eine Verletzung seiner Amtspflichten. Diese Verletzung der Amtspflichten rechtfertigt in der Regel ein Verfahren auf Amtsenthebung (§ 23 BetrVG). Viele Betriebsräte folgen dieser gesetzlichen Vorgabe nicht. Dennoch werden solche Verfahren selten geführt. Arbeitgeber begrüßen es in der Regel, wenn der Betriebsrat die gesetzlich vorgeschriebene Anzahl der Betriebsversammlungen nicht durchführt. Das spart dem Arbeitgeber Geld und Arbeitszeit. Und schützt ihn vor möglicher Unruhe im Betrieb.
Der Verzicht auf Betriebsversammlungen ist aber aus Sicht des Betriebsrats und der Belegschaft gleichzeitig ein Verzicht auf innerbetriebliche Demokratie. Die Beschäftigten sind über die Betriebsratsarbeit schlechter oder gar nicht informiert. Damit haben sie weniger Möglichkeiten, auf die Betriebsratsarbeit Einfluss zu nehmen. Das schwächt auch die Durchsetzungskraft des Betriebsrats gegenüber dem Arbeitgeber. Denn eine nicht informierte Belegschaft wird nicht hinter dem Betriebsrat stehen, wenn

es gilt, den Interessen der Kollegen Gehör zu verschaffen und diese möglichst durchzusetzen.

2. Teilversammlung oder Vollversammlung

Betriebsversammlungen können als Teilversammlungen durchgeführt werden, wenn »wegen der Eigenart des Betriebs eine Versammlung aller Arbeitnehmer zum gleichen Zeitpunkt nicht stattfinden« kann (§ 42 Abs. 1 BetrVG).

Überblick über die Möglichkeiten von Versammlungen der Beschäftigten auf Seite 75f.

Begriffserklärung:
Bei einer Teilversammlung veranstaltet der Betriebsrat die Betriebsversammlung mehrmals hintereinander jeweils für einen Teil der Beschäftigten.

Nach dem Wortlaut des Gesetzes kann man erkennen, dass die Vollversammlung der gesamten Belegschaft der Regelfall sein soll. Teilversammlungen sind die Ausnahme. Auf der Vollversammlung ist eine bessere Kommunikation gewährleistet.[13] Denn jeder Beschäftigte hat die Möglichkeit, die Meinung des Betriebsrats und anderer Beschäftigten im Originalwortlaut zu hören. Es besteht die Möglichkeit, dass alle mit allen reden und diskutieren. Und es findet nicht nur ein Austausch unter einem eingegrenzten Kollegenkreis statt. Es stellt sich also die Frage, wann solche Teilversammlungen sinnvoll sind.

a. Gründe für eine Teilversammlung

Teilversammlungen sind nicht mit wirtschaftlichen Erwägungen zu begründen.

Wirtschaftliche Gründe rechtfertigen keine Teilversammlung

Beispiele:
Wird eine Betriebsversammlung für den gesamten Betrieb durchgeführt, kommt die Produktion in den meisten Fällen zum Stehen. Das Argument, dass bei einer Teilversammlung z.B. die Produktion aufrechterhalten werden könnte, rechtfertigt aber keine Teilversammlung. Auch die Störung des Betriebsablaufs ist kein Grund, der für sich gesehen eine Teilversammlung rechtfertigt.

13 ArbG Essen 14.4.2011 – 2 BVGa 3/11.

In **Krankenhäusern** und **Pflegeeinrichtungen** werden allerdings typischerweise Teilversammlungen durchgeführt. Denn hier kann nicht der gesamte Betrieb für mehrere Stunden stillliegen. Die kranken oder alten Menschen brauchen eine ständige Betreuung. Gleiches gilt z. B. für Kinderheime.

Eine **Lebensmittelkette** mit insgesamt 58 Filialen verlor einen Rechtsstreit vor dem Bundesarbeitsgericht. Der Unternehmer war der Meinung, dass es ihm nicht zuzumuten sei, seine Filialen während der Betriebsversammlung vollständig zu schließen. Unzumutbar wäre es für das Unternehmern nur, wenn technisch-organisatorische Gründe vorliegen, die Teilversammlungen rechtfertigen. Dies könnte in einem Lebensmittelbetrieb der Fall sein, wenn angelieferte Ware zwingend entgegengenommen werden muss und die Anlieferung der Ware nicht zu einer Zeit erfolgen kann, in der keine Betriebsversammlung stattfindet. Der Umsatzrückgang durch die Schließung der Filiale dagegen ist kein technisch-organisatorischer Grund.[14]

Rechtsprechung:
Das Bundesarbeitsgericht hat so nebenbei in dieser Entscheidung ausgeführt, dass eine »absolute wirtschaftliche Unzumutbarkeit« der Vollversammlung dazu führt, dass Teilversammlungen durchgeführt werden müssen. Es hat aber keine Erklärung dazu abgegeben, wann eine solche vorliegt. Das müssen schon gravierende wirtschaftliche Folgen sein. Denn der Gesetzgeber geht vom Grundsatz aus, dass die Betriebsversammlung während der Arbeitszeit sattfindet. Wenn während der Arbeitszeit nicht gearbeitet wird, hat das für jedes Unternehmen wirtschaftliche Folgen und führt zu Betriebsablaufstörungen. Diese müssen eben einfach hingenommen werden.

b. Besonderheiten beim Schichtbetrieb

Schichtbetrieb

In einem **Schichtbetrieb** kann es ratsam sein, pro Schicht eine Teilversammlung durchzuführen. Der Betriebsrat kann davon ausgehen, dass die technisch-organisatorischen Gründe, die das BAG als Voraussetzung für Teilversammlungen verlangt, vorliegen.

Da die Arbeitszeit für die Beschäftigten in Schichten eingeteilt ist, hat ein Großteil nicht die Möglichkeit, während ihrer persönlichen Arbeitszeit an der Betriebsversammlung teilzunehmen. Sie stehen dann vor der Entscheidung ihre **Freizeit** »zu opfern« und an der Versammlung teilzuneh-

14 BAG 9.3.1976 – 1 ABR 74/74.

men oder nicht an der Betriebsversammlung teilzunehmen. Obwohl die Teilnahme an der Betriebsversammlung wie Arbeitszeit zu vergüten ist, werden sich einige Beschäftigte für die Freizeit entscheiden. Ein Kompromiss wäre es, die Betriebsversammlung an das Ende der Frühschicht zu legen. Die Spätschicht kommt dann etwas früher und die Frühschicht bleibt länger. So kann das »Freizeitopfer« geringgehalten werden.
Es spielt auch eine Rolle, ob die Themen auf der Betriebsversammlung interessant sein werden. Je nach dem wird sich ein Beschäftigter für oder gegen die Teilnahme entscheiden.
Hier kann der Betriebsrat aus technisch-organisatorischen Gründen beschließen, in jeder Schicht eine Betriebsversammlung abzuhalten. **Ein solches Vorgehen ist zu empfehlen**. Das wird aller Voraussicht nach zu einer höheren Beteiligung der Belegschaft an der Betriebsversammlung führen. Nachteil ist, dass die Kommunikation aller Beschäftigten miteinander und mit dem Betriebsrat eben nur unter einem Teil der Beschäftigten stattfinden kann.
Mit dem empfohlenen Vorgehen wird im Schichtbetrieb dem Grundsatz Rechnung getragen, dass die Betriebsversammlung während der Arbeitszeit stattzufinden hat. Der Betriebsrat hat daher einen Interessenspielraum, ob er eine Betriebsversammlung für alle oder mehrere Teilversammlungen durchführt. Der Arbeitgeber kann jedenfalls nicht verlangen, dass Betriebsversammlungen außerhalb der Arbeitszeit durchgeführt werden.[15]

Nachtschicht

Für die **Nachtschicht** empfiehlt sich eine Teilversammlung auf jeden Fall. Nachtschichten sind körperlich besonders anstrengend. Der Schlafrhythmus ist sowieso schon gestört. Den Beschäftigten ist es nicht zuzumuten, am Tag an einer Betriebsversammlung teilzunehmen und um 22 Uhr ihre Schicht in voller Länge anzutreten.

Für die Nachtschicht sollte immer eine Teilversammlung durchgeführt werden. !

Ruhezeit

Entscheidet sich der Betriebsrat gegen eine Teilversammlung für die Nachtschicht, dann muss eine **Ruhezeit** von 11 Stunden für diejenigen in Nachtschicht Beschäftigten eingehalten werden, die an der Betriebsversammlung teilnehmen. Das Arbeitszeitgesetz (§ 5 ArbZG) verlangt

15 LAG Düsseldorf 12.12.2024 – 12 TaBV 2024 hält es zu Recht für gerechtfertigt, dass auch das Sicherheitspersonal an Flughäfen während der Arbeitszeit zur Betriebsteilversammlung gehen kann, wenn dies so organisiert wird, dass die Passagierkontrolle nicht gefährdet ist. Der Betriebsrat hatte in diesem Fall entschieden, 12 Teilversammlungen pro Quartal abzuhalten.

aus gesundheitlichen Gründen zwingend, dass jedem Arbeitstag eine Ruhezeit von 11 Stunden folgen muss. In diese Ruhezeit darf auch die Betriebsversammlung nicht gelegt werden. Denn damit sich ein Beschäftigter vollständig ausruhen kann, muss er sich aus seiner Arbeitsumgebung zurückziehen können. Auf einer Betriebsversammlung beschäftigt er sich jedoch mit betrieblichen Themen, damit ist die Ruhezeit beendet.[16] Die Betriebsversammlung darf dann, wenn die Nachtschicht daran teilnehmen soll, entweder erst 11 Stunden nach dem Ende der Nachtschicht stattfinden oder die Nachschicht muss am Tag vor der Betriebsversammlung entsprechend früher enden.

Beispiel:
Endet die Nachtschicht um 6 Uhr morgens, könnte die Betriebsversammlung frühestens um 17 Uhr beginnen. Das macht keinen Sinn.
Beginnt die Betriebsversammlung um 13 Uhr, müsste für alle, die an der Betriebsversammlung teilnehmen, die Nachtschicht bereits um 2 Uhr in der Nacht davor enden. An diesem Beispiel zeigt sich ganz gut, dass organisatorische Gründe dafürsprechen, im Schichtbetrieb Teilversammlungen durchzuführen.

c. Struktur des Betriebs

Teilversammlungen wegen der Struktur des Betriebs

Ein besonderes Problem für die Betriebsversammlung ergibt sich, wenn Teile der Belegschaft weit vom eigentlichen Betrieb entfernt eingesetzt sind. Das kann dazu führen, dass es nur mit erheblichem Aufwand möglich ist zur Betriebsversammlung zu kommen. Hier können Teilversammlungen ebenfalls berechtigt sein.
Denkbar ist, dass ein Unternehmen mehrere kleine Filialen im gesamten Bundesgebiet betreibt. In jeder Filiale arbeiten nur wenig Beschäftigte, so dass es für das gesamte Bundesgebiet nur einen Betriebsrat gibt. In einem solchen Fall können Teilversammlungen z. B. für einzelne Regionen durchgeführt werden. Denn es ist nicht zumutbar, dass Beschäftigte mehrere hundert Kilometer fahren müssen, um zur Betriebsversammlung zu kommen. Auch dann nicht, wenn die Fahrtkosten erstattet und die Wegezeiten vergütet werden.

16 Zur Definition der Ruhezeit nach der europäischen Richtlinie EuGH 9. 9. 2003 – RS C-151/02 (Jaeger). Mit sehr überzeugenden Argumenten für eine Betriebsversammlung im öffentlichen Dienst, OVG Nordrhein-Westfalen 10. 5. 2001 – 4 A 1403/08.

3. Abteilungsversammlungen oder Betriebsversammlung

Der Betriebsrat kann zwei der vierteljährlich vorgeschriebenen Betriebsversammlungen auch durch Abteilungsversammlungen ersetzen (§ 43 Abs. 1 Satz 2 BetrVG). Dies geht jedoch nur, wenn »dies für die Erörterung der besonderen Belange der Arbeitnehmer erforderlich ist« (§ 42 Abs. 2 Satz 1 BetrVG).

Damit eröffnet das BetrVG die Möglichkeit, Beschäftigte eines abgrenzbaren Bereichs, einer Abteilung, zusammenzurufen und bestimmte Themen, die sie besonders oder ausschließlich betreffen, zu erörtern. Dies bedeutet aber nicht, dass nur **eine** Abteilungsversammlung durchgeführt wird. Es müssen alle Beschäftigten Gelegenheit bekommen, an Abteilungsversammlungen teilzunehmen. Es finden dann über den gesamten Betrieb gesehen **mehrere** Abteilungsversammlungen statt. Die Vorschrift aus dem BetrVG meint nicht, dass statt der gesamten Belegschaft nur ein Teil der Belegschaft zu Versammlung eingeladen wird. Die Vorschrift sieht nur die Möglichkeit vor, statt einer gemeinsamen Betriebsversammlung oder mehrerer Teilversammlungen mit identischem Inhalt, Abteilungsversammlungen mit unterschiedlichen Tagesordnungen durchzuführen. Die Tagesordnung kann sich auch in einigen Punkten überschneiden. Das wird sie auch, soweit es den Tätigkeitsbericht des Betriebsrats betrifft. Ausschlaggebend ist, dass es in bestimmten Bereichen des Betriebs besondere Belange der Beschäftigten gibt. Hierin unterscheiden sich die Tagesordnungen.

Beispiel:
Das wäre der Fall, wenn der Arbeitgeber angekündigt hat, in bestimmten Servicebereichen Rufbereitschaft einführen zu wollen. Dann kann es durchaus Sinn machen, in dieser Abteilung dieses Problem mit den Betroffenen gesondert zu diskutieren. Auf einer Betriebsversammlung aller Beschäftigten würden sich die meisten bei diesem Punkt langweilen, weil sie nicht betroffen sind. Die Betroffenen würden vielleicht nicht so offen diskutieren, weil es den meisten Menschen schwerer fällt, vor einem großen Publikum ihren Standpunkt darzulegen. In einer kleinen Runde ist dies einfacher.

Was ist eine Abteilung?

Will man eine Abteilungsversammlung durchführen, kommt es nicht darauf an, dass der Arbeitgeber eine Einheit oder einen Bereich als Abteilung bezeichnet. Es ist ausreichend, dass eine **Einheit abgrenzbar** ist.

Beispiele:
Das kann z. B. die Produktion und Verwaltung sein, obwohl beide Bereiche aus mehreren Abteilungen bestehen. Auch mehrere Abteilungen können zu einer Einheit zusammengefasst werden, wenn sie von der zu erörternden Frage in gleichem Maße betroffen sind.
Es ist auch möglich kleinere Bereiche abzugrenzen und die Produktion z. B. nochmals aufzuteilen. Auch eine räumliche Abgrenzung kann genügen. Wenn es z. B. eine Außenstelle des Betriebs gibt, kann in Hauptbetrieb und Außenstelle aufgeteilt werden.

Zeitliche Lage der Abteilungsversammlung

Eine besondere Herausforderung für den Betriebsrat ist, dass die Abteilungsversammlungen möglichst gleichzeitig stattfinden sollen (§ 43 Abs. 1 Satz 3 BetrVG). Deshalb gestattet das BetrVG auch, dass sie von einem Betriebsratsmitglied geleitet werden können, und nicht von dem oder der Vorsitzenden geleitet werden müssen. Das ist bei der Betriebsversammlung nämlich der Fall.

Hinweis:
Der Betriebsrat muss sich deshalb gut überlegen, ob es wirklich sinnvoll ist, mehrere Abteilungsversammlungen zeitgleich oder eng hintereinander durchzuführen. Das ist ein hoher planerischer Aufwand. Gleichzeitig benötigt man eine ausreichende Zahl von Betriebsratsmitgliedern, die in der Lage sind, eine solche Veranstaltung durchzuführen und zu leiten. Das ist nun nicht jedermanns Sache.

4. Weitere Betriebsversammlungen

a. Außerordentliche Betriebsversammlungen

In den vorangegangenen Abschnitten wurde gezeigt, dass der Betriebsrat verpflichtet ist, vier Betriebsversammlungen im Jahr, nämlich eine pro Kalendervierteljahr, durchzuführen.

! **Zwei der vier Betriebsversammlungen können durch Abteilungsversammlungen ersetzt werden.**

Nun kann es aber Situationen geben, in der dringend eine Betriebsversammlung einberufen werden muss. Wenn der Betriebsrat sein vierteljährliches Kontingent schon ausgeschöpft hat, müsste er im schlimmsten

Fall nahezu 12 Wochen warten. Erst dann dürfte er wieder eine Betriebsversammlung durchführen.

Zusätzliche Betriebsversammlungen

Dies ist immer dann problematisch, wenn man auf den Beginn des nächsten Quartals nicht warten kann. Gibt es weiteren Bedarf z. B., weil im Betrieb gravierende, die Belegschaft betreffende Veränderungen angekündigt sind, können deshalb zusätzlich auch außerordentliche Betriebsversammlungen durchgeführt werden. Der Betriebsrat möchte die Belegschaft informieren und sich mit ihr über das weitere Vorgehen austauschen.

Das BetrVG ermöglicht es dem Betriebsrat, einmal im Halbjahr eine weitere Versammlung einzuberufen (§ 43 BetrVG). Dazu müssen besondere Gründe vorliegen. !

Besondere Gründe

Besondere Gründe können sein:

Beispiele:

- Der Arbeitgeber gibt bekannt, eine große Zahl von Arbeitsplätzen abbauen zu wollen.
- Der Betriebsrat hat in Erfahrung gebracht, dass dem Unternehmen die Insolvenz droht.
- Der Arbeitgeber möchte Kurzarbeit durchsetzen.
- Auch tarifpolitische Themen können eine außerordentliche Betriebsversammlung rechtfertigen, wenn der Betriebsrat z. B. wegen eines Informationsdefizits der Belegschaft über tarifliche Themen informieren möchte.[17]

Der Betriebsrat entscheidet selbst darüber, ob besondere Gründe für eine solche Versammlung vorliegen.

Rechtsprechung:

Dazu sagt das **BAG**: Die Angelegenheit, die mit der Belegschaft erörtert werden soll, muss so bedeutend und dringend sein, dass ein sorgfältig amtierender Betriebsrat unter Berücksichtigung der konkreten Situation im Betrieb die Einberufung einer weiteren Betriebsversammlung für sinnvoll und angemessen halten darf.[18]

17 ArbG Oldenburg 29. 5. 1989 – 5 BVGa 1/89.
18 BAG 23. 10. 1991 – 7 AZR 249/90.

Es stellt sich also immer die Frage: »Kann die Angelegenheit warten bis das neue Quartal beginnt oder nicht?«

b. Betriebsversammlungen auf Antrag der Beschäftigten

Betriebsversammlung auf Antrag eines Viertels der Beschäftigten

Auf Wunsch der Belegschaft **muss** der Betriebsrat eine außerordentliche Betriebsversammlung durchführen. Dazu müssen sich mindestens 25 % der wahlberechtigten Beschäftigten zusammenfinden und einen entsprechenden Antrag stellen. Der Antrag muss das Thema enthalten, das auf der Betriebsversammlung behandelt werden soll und die Unterschrift der Beschäftigten, die das Vorhaben unterstützen. Eine besondere Form ist dabei nicht zu beachten. Wahlberechtigt sind alle Arbeitnehmer des Betriebs, die das 16. Lebensjahr vollendet haben und Leiharbeitnehmer, die länger als drei Monate im Betrieb eingesetzt werden. Sie müssen nicht schon zum Zeitpunkt der Antragstellung drei Monate im Betrieb beschäftigt sein. Es genügt, dass sie für einen Einsatz von mehr als drei Monaten vorgesehen sind (§ 7 BetrVG).

Problematisch ist, dass das Betriebsverfassungsgesetz für diese Art der Betriebsversammlung keinen Anspruch auf Vergütung vorsieht. Der Betriebsrat sollte deshalb versuchen, diese Betriebsversammlung als quartalsmäßige Betriebsversammlung durchzuführen. Das ist aber nur dann möglich, wenn in dem Kalendervierteljahr noch keine Betriebsversammlung durchgeführt wurde.

Eine weitere Möglichkeit ist, die Betriebsversammlung als außerordentliche Betriebsversammlung durchzuführen, dafür bedarf es aber eines besonderen Grunds. Es hängt also vom Antrag der Beschäftigten ab, ob das Thema als besonderer Grund gilt. Das dürfte in aller Regel der Fall sein, denn ansonsten würden 25 % der Belegschaft eine Betriebsversammlung nicht als dringend notwendig ansehen.

Beispiel:
Mehr als ein Viertel der wahlberechtigten Beschäftigten verlangt die Durchführung einer Betriebsversammlung zur Vorstellung der Kandidaten für die Betriebsratswahl.[19]

c. Betriebsversammlung auf Wunsch des Arbeitgebers

Auch der Arbeitgeber ist berechtigt, eine außerordentliche Betriebsversammlung unter Angabe des Tagesordnungspunkts zu verlangen. Auch

19 ArbG Heilbronn 6.3.1990 – 3 BVGa 1/90.

diese Versammlung muss der Betriebsrat dann durchführen. Er ist in diesem Fall berechtigt, weitere Punkte in die Tagesordnung aufzunehmen. Der Arbeitgeber muss über die Betriebsversammlung, die auf sein Verlangen stattfindet, informiert werden. Bei Teilnahme an dieser Betriebsversammlung besteht für die Beschäftigten in jedem Fall ein Anspruch auf Vergütung.

d. Weitere Betriebsversammlungen

Der Betriebsrat ist berechtigt, weitere Betriebsversammlungen durchzuführen, wenn er das für notwendig erachtet. Allerdings dürfen diese dann nicht während der Arbeitszeit stattfinden. Es besteht auch kein Vergütungsanspruch für die Beschäftigten während der Zeit der Teilnahme. Weitere Betriebsversammlungen dürften in der Praxis kaum eine Rolle spielen. Vielen Betriebsräten fällt es schwer, die verpflichtenden vier Betriebsversammlungen pro Jahr durchzuführen und die Beschäftigten zur Teilnahme zu motivieren. Erst wenn es gelungen ist, die Beschäftigten davon zu überzeugen, dass Betriebsversammlungen spannend, informativ und lohnenswert sind, ist in der Regel an weitere Versammlungen zu denken.

Überblick über die Möglichkeiten von Versammlungen der Beschäftigten auf Seite 75f.

Erlaubt der Arbeitgeber die Durchführung weiterer Versammlungen während der Arbeitszeit, hat er auch den Vergütungsanspruch anerkannt.

!

5. Zeitpunkt und Dauer der Betriebsversammlung

a. Zeitpunkt und Terminplanung

Zeitpunkt

Der Betriebsrat bestimmt, wann die Betriebsversammlung stattfindet. Es ist nicht Sache des Arbeitgebers, den **Zeitpunkt** festzulegen. Der Betriebsrat benötigt auch keine Erlaubnis oder Genehmigung für die Durchführung der Betriebsversammlung.

Rechtsprechung:
Das LAG Baden-Württemberg hat ausgeführt, dass der Betriebsrat wegen des Gebots der vertrauensvollen Zusammenarbeit (§ 2 BetrVG) verpflichtet ist, sich mit dem Arbeitgeber über den Termin der Betriebsversamm-

lung zu verständigen. Ist eine solche Übereinkunft aber nicht möglich, dann wird der Zeitpunkt vom Betriebsrat einseitig bestimmt.[20]

Es ist sicherlich sinnvoll, eine Vereinbarung mit dem Arbeitgeber über den Zeitpunkt der Betriebsversammlung zu treffen. Das ist aber nicht in jedem Fall möglich. Oftmals gibt es Streit über den richtigen Zeitpunkt der Versammlung. Der Arbeitgeber möchte so wenige Betriebsablaufstörungen wie möglich. Bei ihm steht der reibungslose Ablauf des Betriebsgeschehens im Vordergrund. Je weniger Beschäftigte an der Betriebsversammlung teilnehmen, desto weniger wird die Produktion gestört. Für den Betriebsrat zählen in erster Linie andere Gesichtspunkte.

! Die Betriebsversammlung soll auf einen Zeitpunkt gelegt werden, an dem möglichst viele Kollegen teilnehmen können und wollen. Es sollen die möglichst besten Bedingungen für einen ungestörten Austausch ohne Zeitdruck herrschen.

Einmal im Kalenderjahr muss auch der Arbeitgeber auf der Betriebsversammlung erscheinen und Bericht über verschiedenen Themen erstatten. Das BetrVG führt dazu aus:

Gesetz: § 43 Abs. 2 Satz 3 BetrVG
»Der Arbeitgeber oder sein Vertreter hat mindestens einmal in jedem Kalenderjahr in einer Betriebsversammlung über das Personal- und Sozialwesen einschließlich des Stands der Gleichstellung von Frauen und Männern im Betrieb sowie der Integration der im Betrieb beschäftigten ausländischen Arbeitnehmer, über die wirtschaftliche Lage und Entwicklung des Betriebs sowie über den betrieblichen Umweltschutz zu berichten, soweit dadurch nicht Betriebs- oder Geschäftsgeheimnisse gefährdet werden.«

Dieser Termin ist auf alle Fälle mit dem Arbeitgeber **abzustimmen**.

Terminplanung

Es empfiehlt sich, zu Beginn eines jeden Kalenderjahres einen **Terminplan** für die Betriebsversammlungen zu erstellen. Dabei ist es ratsam, sich erst einmal über die Lage der **Feiertage** und der **Schulferien** einen Überblick zu verschaffen. In diesem Zusammenhang sollten auch die sogenannten Brauchtumstage (wie z. B. Fastnacht, Karneval, St. Martin, Halloween etc.) nicht vergessen werden, die es in manchen Gegenden gibt, und eine unterschiedlich große Rolle spielen. In den Schulferien und im unmittelbaren Zusammenhang mit Feiertagen haben viele Beschäftig-

20 LAG Baden-Württemberg 5. 5. 1982 – 2 Sa 122/81.

te Urlaub. Soweit es möglich ist, sollten Termine außerhalb dieser Zeiten festgelegt werden, um eine möglichst große Beteiligung an der Betriebsversammlung zu erreichen.

Die Betriebsversammlung findet grundsätzlich während der Arbeitszeit statt (§ 44 BetrVG). !

Dies gilt für:
- die Betriebsversammlungen, die einmal im Quartal stattzufinden haben
- die Abteilungsversammlungen, die eine Vollversammlung ersetzen (siehe Seite 26)
- außerordentliche Betriebsversammlungen, die einmal im Kalenderhalbjahr einberufen werden können, sofern ein besonderer Grund vorliegt

Verlangt der Arbeitgeber die Einberufung einer Betriebsversammlung, dann muss diese auf jeden Fall in der Arbeitszeit stattfinden. !

Betriebsversammlung und Arbeitszeit

Das bedeutet, dass **maximal sechs** Betriebsversammlungen pro Jahr auf Kosten des Arbeitgebers durchgeführt werden können, die vom Betriebsrat einberufen werden. Es ist durchaus möglich und erlaubt, weitere Betriebsversammlungen abzuhalten. Aber alle weiteren Betriebsversammlungen, die der Betriebsrat durchführt, müssen außerhalb der Arbeitszeit liegen. Man kann selbstverständlich mit dem Arbeitgeber vereinbaren, dass diese in der Arbeitszeit stattfinden. Aber darauf muss sich der Arbeitgeber nicht einlassen, und er wird es in den seltensten Fällen tun.
Soweit es die **Eigenart des Betriebs** erfordert, Betriebsversammlungen außerhalb der Arbeitszeit durchzuführen, kann jede Betriebsversammlung auch außerhalb der Arbeitszeit stattfinden. In der Regel wird sich der Betriebsrat für sogenannte Teilversammlungen entscheiden, weil z. B. der gesamte Betrieb nicht für mehrere Stunden stillstehen kann. Das ist z. B. in Krankenhäusern und anderen Betreuungseinrichtungen der Fall (siehe dazu Seite 22f. zur Teilversammlung mit weiteren Beispielen). Wirtschaftliche Erwägungen, wie der Produktionsausfall etc. stellen keinen Grund dar, die Betriebsversammlung nach Arbeitsschluss durchzuführen.

Es sprechen einige Argumente dafür, die Betriebsversammlung in der ersten Hälfte des Arbeitstags beginnen zu lassen. Dann hat die Belegschaft noch keinen langen und anstrengenden Arbeitstag hinter sich. !

Zeitpunkt der Betriebsversammlung

Die Betriebsversammlung gegen Ende des Arbeitstags hat den Nachteil, dass spätestens zum Ende der Arbeitszeit das Interesse an der Versammlung abflaut und der Wunsch, endlich den Feierabend anzutreten, immer mehr überwiegt. Die Themen der Betriebsversammlung müssten schon sehr spannend sein, um die Belegschaft auch nach Arbeitsschluss noch bei der Stange zu halten. Auch die privaten Verpflichtungen, wie z. B. die Kinder vom Hort abzuholen, können Beschäftigte zwingen, die Betriebsversammlung zu verlassen. Beginnt die Betriebsversammlung spät, entsteht leicht Zeitdruck, endlich fertig zu werden. Darunter leiden der Austausch und die Diskussion.

b. Dauer der Betriebsversammlung

Dauer der Betriebsversammlung

Der Betriebsrat ist nicht verpflichtet, im Voraus festzulegen, wie lange die Betriebsversammlung dauern wird. Dies ist auch gar nicht möglich, denn es lässt sich nur schwer abschätzen, wie viele Redebeiträge aus dem Publikum kommen und ob weitere brennende Themen von der Belegschaft vorgetragen werden, die man diskutieren möchte.

Beispiele:
Geht es um brennende Themen wie eine Werksschließung, kann eine Betriebsversammlung durchaus auch mehrere Tage andauern. So dauerte z. B. die Betriebsversammlung der Kollegen bei Opel Bochum zwei Tage, nachdem die Unternehmensleitung die Schließung des Standorts bekannt gegeben hatte. Auf der Rednerliste standen mehr als 50 Kollegen. Der Betriebsrat hat deshalb die Versammlung am Ende der Arbeitszeit vertagt und sie am nächsten Tag weitergeführt. Insgesamt hat sie 17 Stunden gedauert.

Dies ist durchaus legitim und auf Grund der Gesetzeslage auch zulässig.

Rechtsprechung:
Das LAG Baden-Württemberg hatte einmal Gelegenheit, das zu bestätigen: Kann in einer regelmäßigen Betriebsversammlung die vorgesehene Tagesordnung nicht bis zum Ende der Arbeitszeit abschließend behandelt werden, kann der Betriebsrat grundsätzlich die Fortsetzung für den nächsten Tag innerhalb der Arbeitszeit bestimmen.[21]

21 LAG Baden-Württemberg 5. 5. 1982 – 2 Sa 122/81.

6. Kosten der Betriebsversammlung und Vergütung der Beschäftigten

a. Kosten der Betriebsversammlung

Das Betriebsverfassungsgesetz enthält folgende Regelung:

Gesetz: § 40 Abs. 1 BetrVG
»Die durch die Tätigkeit des Betriebsrats entstehenden Kosten trägt der Arbeitgeber.«

Dazu zählen auch alle Kosten, die für die Vorbereitung und Durchführung der Betriebsversammlung anfallen.

Erforderlichkeit

Der Arbeitgeber muss nicht alle beliebigen Kosten der Betriebsratsarbeit tragen. Der Betriebsrat muss sich bei allen Ausgaben überlegen, ob diese für die Betriebsratsarbeit **erforderlich** sind. Diese von der Rechtsprechung entwickelte unklare Definition macht es nicht immer leicht zu entscheiden, was zulässig ist und was nicht.

!

Der Betriebsrat hat einen eigenen Ermessensspielraum. Das bedeutet, dass er nicht die Maßstäbe des Arbeitgebers übernehmen muss, sondern seine eigenen Maßstäbe ansetzen darf.

Es muss alles bezahlt werden, was zu einer ordnungsgemäßen Durchführung der Betriebsversammlung notwendig ist.

> **Hinweis:**
> Der Arbeitgeber kann die Übernahme von Kosten nicht verweigern, wenn der Betriebsrat sorgfältig abgewogen hat, ob die Ausgabe notwendig ist. Auch wenn der Betriebsrat sich über die Erforderlichkeit der Kosten irrt, muss der Arbeitgeber dennoch bezahlen, wenn der Irrtum entschuldbar war.[22]

aa. Kosten für Präsentationstechnik

Präsentationstechnik

Die Kosten für die **Präsentationstechnik** sind zu zahlen.

22 Wedde in BetrVG Kommentar, Däubler/Klebe/Wedde (Hrsg.), 20. Auflage 2026, § 40 Rn. 7.

> **Beispiele:**
> Dazu zählen heutzutage auch ein Laptop und ein Beamer. Ebenso ist eine Lautsprecheranlage ab einer bestimmten Größe des Betriebs unverzichtbar. Dazu zählen Mikrofone für die Redebeiträge aus der Belegschaft. Aber auch Pinnwände und Flipcharts können notwendig sein, je nachdem, welche Technik und Methoden der Betriebsrat in der Betriebsversammlung anwenden möchte, um die Belegschaft besser zu beteiligen.

bb. Kosten für einen Raum

Raum für die Betriebsversammlung

Raumkosten entstehen in der Regel keine, wenn geeignete Räume im Betrieb vorhanden sind.

> **Begriffserklärung:**
> Geeignet sind Räume dann, wenn sie genügend groß sind, so dass die Beschäftigten dort ausreichend Platz finden. Dazu müssen sie einen ungestörten Ablauf der Betriebsversammlung ermöglichen.

Die Kantine ist dazu ungeeignet, wenn gleichzeitig die Bewirtung der Belegschaft sattfindet. Das würde bedeuten, dass während der Betriebsversammlung ein ständiges Kommen und Gehen ist, nämlich von den Beschäftigten, die nur zum Essen die Kantine aufsuchen. Der Raum muss auch eine entsprechende Ausstattung haben, wie z. B. Stühle. Und der Raum muss die Verwendung der Präsentationstechnik erlauben.
Sind in den letzten Jahren auf Betriebsversammlungen nur wenig Beschäftigte erschienen, kann der Arbeitgeber dennoch nicht argumentieren, dass ein kleiner Raum ausreicht. Z. B. ein Raum für 60 Personen, obwohl die Belegschaft aus ca. 400 Beschäftigten besteht. Das würde von vornherein die Teilnehmerzahl der Betriebsversammlung begrenzen. Der Betriebsrat sollte auf einen ausreichend großen Raum bestehen. Ansonsten werden die Beschäftigten mit ziemlicher Sicherheit der Betriebsversammlung fernbleiben, weil die Raumverhältnisse einfach nicht erträglich sind.

Ort der Betriebsversammlung

Sehr gestritten wird über die Frage, ob der Betriebsrat sich den Raum im Betrieb selbst auswählen kann und damit den **Ort der Betriebsversammlung** alleine bestimmt. Oder ob nicht vielmehr der Arbeitgeber dem Betriebsrat den Raum zuweisen muss bzw. darf.

Rechtsprechung:
Das Hessische LAG hat dazu einmal entschieden, dass der Betriebsrat bei mehreren geeigneten Räumen nicht die Wahl hat, welcher für die Be-

triebsversammlung verwendet wird. Das entscheidet der Arbeitgeber.[23] Voraussetzung ist, dass alle Räume gleich gut geeignet sind.

Näheres zum Eilverfahren in Band 5

Rechtsprechung vom Bundesarbeitsgericht zu diesem Streitpunkt gibt es nicht. Das ist auch nicht so bald zu erwarten. Denn in aller Regel werden Streitfragen über den geeigneten Raum in einem einstweiligen Verfügungsverfahren vor dem Arbeitsgericht entschieden. Da die Betriebsversammlung stattfinden soll, kann ein Betriebsrat nicht erst einmal den Weg durch die arbeitsgerichtlichen Instanzen gehen, um die **Raumfrage** zu klären. Ein solcher Weg nimmt mehrere Jahre in Anspruch. Hier bleibt nur ein Eilverfahren, um rechtzeitig vor der Betriebsversammlung eine Entscheidung zu dem Raum zu bekommen.

Räume außerhalb des Betriebs[24]

Externer Raum

Wenn kein geeigneter Raum auf dem Betriebsgelände zur Verfügung steht, ist ein Raum extern anzumieten. Der Arbeitgeber hat dann die Kosten für die Raummiete zu tragen.
Was früher oft ein Ausnahmefall war, wird immer öfter zum Standard. Infolge der Covid-19-Pandemie gehen Arbeitgeber dazu über, Büroflächen abzumieten, da der Anteil, der in mobiler Arbeit Beschäftigten ständig steigt. Die Betriebe werden kleiner. Aber auch Gesundheitsvorkehrungen können dazu führen, dass für die Betriebsräteversammlung ein Raum außerhalb des Betriebsgeländes angemietet werden muss.
Solange die Pandemielage besteht, muss der Betriebsrat ein **Gesundheitskonzept** für die Betriebsversammlung erarbeiten. Können Abstandregeln nicht eingehalten werden, darf der Betriebsrat einen ausreichend großen Raum außerhalb des Firmengeländes anmieten. Eventuell müssen auch mehrere Teilversammlungen stattfinden, damit entsprechende Gesundheitsvorschriften eingehalten werden können.
Es steht allein im Ermessen des Betriebsrats, mit welchem Gesundheitskonzept er die Betriebsversammlung durchführt, solange er sich dabei an gesetzliche Vorgaben hält. Der Arbeitgeber hat die Kosten zu tragen.[25]

Auch in diesem Fall muss der Raum für die Durchführung einer Betriebsversammlung geeignet sein. Dazu kommt, dass er sich in der Nähe des Betriebsgeländes befinden sollte. Die Anmietung eines preisgünstigen Raums, dafür aber weit weg vom Betriebsgelände, kommt nicht in Frage.

---

23 Hessisches LAG 10.10.2013 – 5 TaBV 323/12.

24 In der Reihe »Auf den Punkt – Grundwissen für neue Betriebsratsmitglieder« sind insgesamt 8 Bände erschienen (Näheres auf Seite 2).

25 LAG Hamm 5.10.2020 – 13 TaBVGa 16/20.

Der weite Weg würde die Teilnahme der Beschäftigten an der Betriebsversammlung behindern.

> **Hinweis:**
> Der externe Raum muss nicht nur von der Ausstattung her geeignet, sondern auch gut erreichbar sein.

cc. Kosten für einen Dolmetscher

Fremdsprachendolmetscher

Seit vielen Jahren sind in fast allen Betrieben Menschen beschäftigt, die nicht aus Deutschland stammen. Diese Beschäftigten sind nicht alle der deutschen Sprache mächtig. Sie haben aber das Recht, nicht nur auf der Betriebsversammlung anwesend zu sein, sondern ihr auch folgen zu können und eigene Redebeiträge zu leisten. In diesen Fällen ist ein **Dolmetscher** bereitzustellen.[26]

Ein Dolmetscher wird auch benötigt, wenn der Arbeitgeber seinen Bericht über die wirtschaftliche und soziale Lage des Unternehmens in einer Fremdsprache hält, die nicht alle Beschäftigten des Betriebs beherrschen. Werden Unterlagen in einer fremden Sprache präsentiert, z. B. ein PowerPoint Vortrag, können diese ebenso auf Kosten des Arbeitgebers übersetzt werden.[27]

Gebärdendolmetscher

Werden im Betrieb gehörlose oder gehöreingeschränkte Menschen beschäftigt, ist zwingend ein Gebärdendolmetscher zur Betriebsversammlung einzuladen. Werden lediglich gesprochene Inhalte nicht übersetzt, ist dies eine Diskriminierung von gehörlosen Menschen.[28] Der Betriebsrat sollte sich rechtzeitig um einen Gebärdendolmetscher kümmern, denn oftmals stehen diese Personen nicht kurzfristig zur Verfügung, sondern sind auf längere Zeit ausgebucht.

b. Entgeltfragen im Zusammenhang mit der Betriebsversammlung

Wegezeiten und Fahrtkosten

Die Teilnahme an der Betriebsversammlung zählt zur Arbeitszeit. Dabei ist den Beschäftigten nicht nur die Zeit zu vergüten, die sie auf der Betriebsversammlung verbringen. Entsteht deswegen zusätzliche Wegezeit, muss auch diese bezahlt werden (§ 44 BetrVG). Dies gilt auch für zusätzliche Fahrtkosten.

---

26 ArbG Stuttgart 27. 2. 1986 – 17 Ca 317/85.

27 Wedde in BetrVG Kommentar, Däubler/Klebe/Wedde (Hrsg.), 20. Auflage 2026, § 40 Rn. 16 mit weiteren Nachweisen.

28 LAG Berlin-Brandenburg 18. 1. 2017 – 20 Sa 956/16.

Beispiel:
Findet eine Betriebsversammlung wegen der Eigenart des Betriebs außerhalb der Arbeitszeit statt und muss ein Beschäftigter deshalb erneut in den Betrieb kommen, um die Betriebsversammlung zu besuchen, sind ihm die Wegezeiten und die Fahrtkosten ebenfalls zu bezahlen.

Ein **Anspruch auf Bezahlung** setzt aber voraus, dass
- es sich um eine der regelmäßig einzuberufenden Betriebs- oder Abteilungsversammlungen handelt (§ 43 Abs. 1 BetrVG),
- es sich um eine weitere Betriebsversammlung aus besonderen Gründen handelt (§ 43 Abs. 1 BetrVG) oder
- es sich um eine Betriebsversammlung handelt, die auf Wunsch des Arbeitgebers einberufen wurde (§ 44 Abs. 1 BetrVG).

Liegen die Voraussetzungen nicht vor, besteht kein Anspruch auf Entgeltzahlung. Weitere Betriebsversammlungen sind zwar ohne weiteres möglich, aber die Zeit der Teilnahme wird in diesen Fällen nicht vergütet. Ist der Arbeitgeber bereit, diese weiteren Betriebsversammlungen während der Arbeitszeit durchführen zu lassen, ist er auch zur Zahlung des Entgelts verpflichtet (§ 44 Abs. 2 BetrVG).

Vergütung der Zeit der Betriebsversammlung

Liegt die Betriebsversammlung innerhalb der individuellen Arbeitszeit eines Beschäftigten, stellen sich keine Probleme bei der Vergütung. Der Beschäftigte bekommt einfach das vergütet, was er auch erhalten hätte, wenn er in dieser Zeit an seinem Arbeitsplatz geblieben wäre und weitergearbeitet hätte.

Teilnahme außerhalb der individuellen Arbeitszeit

Teilzeitbeschäftigte und sogenannte geringfügig Beschäftigte haben je nach arbeitsvertraglicher Vereinbarung möglicherweise gerade keine Arbeitsleistung am Tag der Betriebsversammlung zu erbringen.

Beispiele:
- Ist ein Beschäftigter auf der Basis von 556 Euro im Monat eingestellt und kommt nur einmal die Woche in den Betrieb, so steht ihm für die Betriebsversammlung die Vergütung zu, wenn er an diesem Tag nicht zur Arbeit hätte kommen müssen.
- Die Teilzeitbeschäftigte, die nur an Vormittagen arbeitet, bekommt zusätzlich die Zeit vergütet, die sie länger bleibt, weil die Betriebsversammlung über ihre individuelle Arbeitszeit hinaus gedauert hat.

Auch Beschäftigte, die während ihres **Urlaubs,**[29] **Erziehungsurlaubs,**[30] während der **Kurzarbeit**[31] oder während eines **Arbeitskampfes**[32] zu einer Betriebsversammlung kommen, haben Anspruch auf Vergütung der Zeit. Es kommt nicht darauf an, ob der Beschäftigte in der Zeit der Betriebsversammlung einen Entgeltanspruch erworben hätte, wenn er nicht auf der Betriebsversammlung gewesen wäre.

Beispiele:
- Der Streikende wird während des Streiks nicht bezahlt. Besucht er aber die Betriebsversammlung, erhält er für diese Zeit Entgelt. Es kommt allein darauf an, dass er an der Betriebsversammlung teilgenommen hat.
- Der Kurzarbeiter bekommt den Entgeltanspruch zusätzlich zum Kurzarbeitergeld, weil er die Betriebsversammlung besucht hat.
- Der Urlauber bekommt zu seiner Entgeltfortzahlung während des Urlaubs zusätzliches Entgelt.

Höhe der Vergütung

Vergütet wird dasjenige, was der Beschäftigte erhalten würde, wenn er in dieser Zeit gearbeitet hätte. Er erhält also sein individuelles Arbeitsentgelt. **Akkordlohn** wird nach dem Durchschnitt berechnet. **Zuschläge für Mehrarbeit** stehen ihm nach der Rechtsprechung des Bundesarbeitsgerichts aber auch dann nicht zu, wenn der Beschäftigte durch den Besuch der Betriebsversammlung über seine individuell vereinbarte Sollarbeitszeit hinaus im Betrieb anwesend ist.

Beispiel:
Der Beschäftigte besucht nach der Frühschicht, die insgesamt 7 Stunden gedauert hat, noch eine Betriebsversammlung für die Dauer von 3 Stunden. Damit hat er insgesamt 10 Stunden an diesem Tag im Betrieb verbracht, obwohl er nur sieben Stunden arbeiten musste. Dennoch erhält er für die letzten drei Stunden keine Mehrarbeitszuschläge, sondern nur das gewöhnliche Entgelt.

Vergütung der Wegezeiten

Kommen Beschäftigte zusätzlich zu ihrer Arbeitszeit nochmals in den Betrieb, weil sie eine Betriebsversammlung besuchen, bekommen sie auch die Wegezeit wie Arbeitszeit vergütet. Grundsätzlich ist es so, dass der

29 BAG 5.5.1987 – 1 AZR 665/85.
30 BAG 31.5.1989 – 7 AZR 574/88.
31 BAG 5.5.1987 – 1 AZR 666/85.
32 BAG 5.5.1987 – 1 AZR 292/85.

Weg zum Arbeitsplatz durch den Beschäftigten zu finanzieren ist und in der Freizeit stattfindet.

Kommt der Beschäftigte nur wegen der Betriebsversammlung in den Betrieb, ist die Wegezeit zu bezahlen (§ 44 BetrVG). Das gilt auch für Beschäftigte im Erholungsurlaub oder in der Elternzeit. !

Fahrtkosten

In den oben genannten Fällen sind auch die zusätzlichen Fahrtkosten durch den Arbeitgeber zu erstatten.
Die Fahrtkosten zur Betriebsversammlung sind vom Arbeitgeber immer dann zu bezahlen, wenn es sich um Betriebsversammlungen außerhalb der individuellen Arbeitszeit handelt. Dies gilt nur, wenn der Beschäftigte allein wegen der Betriebsversammlung den Betrieb (nochmals) aufsucht. Findet die Betriebsversammlung im Anschluss an seine Schicht statt, erhält er keine Fahrtkostenerstattung. In diesem Fall sind nämlich keine zusätzlichen Fahrtkosten angefallen.

Nimmt ein Arbeitnehmer an der Betriebsversammlung teil, so sind diese Zeiten als Arbeitszeiten i. S. d. Arbeitszeitgesetzes zu werten. !

Einhalten der Ruhezeiten

Gerade bei Betriebsversammlungen außerhalb der Arbeitszeit ist deshalb darauf zu achten, dass die gesetzliche **Ruhezeit** und die **Höchstarbeitszeiten** eingehalten werden.[33] Denn als Ruhepause im Sinne des Arbeitszeitgesetzes kann die Betriebsversammlung nicht gewertet werden.

> **Begriffserklärung:**
> Ruhepausen sind nur solche Zeiten, die die Arbeit unterbrechen und der Erholung dienen. Zum Wesensmerkmal einer Pause zählt es, dass der Beschäftigte sich aus dem betrieblichen Zusammenhang vollständig zurückziehen kann. Das ist auf einer Betriebsversammlung gerade nicht gewährleistet.

Veranstaltet der Betriebsrat für die Nachtschicht keine eigene Betriebsversammlung, dann muss darauf geachtet werden, dass die teilnehmenden Nachtarbeiter dennoch ihre Ruhepause von 11 Stunden einhalten, bevor sie die nächste Nachtschicht antreten.

Näheres zu Teilversammlungen in Schichtbetrieben auf Seite 24f.

33 OVG Nordrhein-Westfalen 10. 5. 2011 – 4 A 1403/08.

7. Vorbereitung der Betriebsversammlung

a. Die Themenauswahl

Themenauswahl

Bevor die Einladung und die Tagesordnung für die Betriebsversammlung gestaltet werden können, muss sich der Betriebsrat erst einmal klar darüber werden, welche **Themen** auf der Betriebsversammlung behandelt werden sollen.

> **Beispiele:**
> Was die Belegschaft interessiert, kann der Betriebsrat zum Beispiel bei Rundgängen durch den Betrieb und in Gesprächen mit den Kollegen erfahren. Auch die Sprechstunden des Betriebsrats für die Kollegen geben Auskunft darüber, welche Themen die Belegschaft besonders bewegen.

Ein guter Kontakt zu den Vertrauensleuten der Gewerkschaften im Betrieb ist bei der Themenfindung hilfreich. Der Betriebsrat selbst hat sicherlich auch eine Reihe von Themen, die sich aus seiner täglichen Betriebsratspraxis ergeben. Hier wird der Betriebsrat diejenigen Themen auswählen, über die er die Belegschaft ausdrücklich informieren möchte. Und er wird diejenigen Themen auf die Tagesordnung setzen, bei denen er einen Austausch und ein Meinungsbild der Belegschaft auf der Betriebsversammlung herbeiführen möchte.

> **Hinweis:**
> Die Betriebsversammlung ist auch ein wichtiges Mittel, dem dort anwesenden Arbeitgeber klar vor Augen zu führen, womit die Beschäftigten ganz und gar nicht einverstanden sind. So weiß der Arbeitgeber, dass es bei bestimmten Vorhaben Unruhe und Widerstand unter den Beschäftigten geben wird. Das wird dazu führen, dass er sein Vorhaben nochmals gründlich überdenkt.

Checkliste zur Vorbereitung der Betriebsversammlung auf Seite 77ff.

Nachdem die Themen gesammelt worden sind, wird in der Betriebsratssitzung entschieden, welche der Themen zum Gegenstand der Betriebsversammlung werden sollen. Danach kann die Tagesordnung gestaltet werden.

b. Die Tagesordnung

Tagesordnung

Die Tagesordnung soll so gestaltet sein, dass jeder Teilnehmer der Betriebsversammlung weiß, welche Themen dort diskutiert werden und über welche Themen informiert wird. Die Punkte sollten so präzise und dennoch knapp beschrieben sein, wie möglich.

Hinweis:
Die Beschäftigten sollen anhand der Tagesordnung entscheiden können, ob es sich lohnt, die Betriebsversammlung zu besuchen.

Die Tagesordnung ermöglicht es den Beschäftigten, sich auf die Betriebsversammlung vorbereiten zu können, um gegebenenfalls einen Diskussionsbeitrag zu halten. Wenn die Kollegen von den Themen überrascht sind, wird die Diskussionsbereitschaft nicht besonders groß sein. Viele Menschen haben Hemmungen, spontan vor einer größeren Ansammlung von Zuhörern zu sprechen. Deshalb ist es hilfreich, wenn man seinen Redebeitrag in Ruhe vorbereiten und überlegen kann.
Dennoch sollte jede Tagesordnung auch einen Punkt »**Verschiedenes**« enthalten. Ein solcher Tagesordnungspunkt gibt die Möglichkeit, spontan weitere Themen anzusprechen. Dies können Themen sein, die der Betriebsrat als nicht so wichtig erachtet, möglicherweise nicht erkannt hat oder Themen, die erst nach der Einladung aktuell geworden sind.

Bei der Tagesordnung sollte nicht vergessen werden, dass sie eine Art Werbung für die Betriebsversammlung ist. Je spannender und aktueller die Themen sind, desto reger und zahlreicher wird die Teilnahme an der Betriebsversammlung sein. !

c. Die Einladung

Einladung

Der übliche Weg, die Belegschaft zur Betriebsversammlung einzuladen, ist immer noch das sogenannte **Schwarze Brett**. Dagegen ist auch nichts einzuwenden. Es sollte jedoch darauf geachtet werden, dass die Einladung zur Betriebsversammlung nicht in der Fülle der anderen Informationen am Schwarzen Brett untergeht. Dabei kommt es auch auf die grafische Gestaltung der Einladung an.

Hinweis:
Ein schön gestaltetes Plakat im DIN A3 oder DIN A2 Format wird Aufmerksamkeit erregen.

Inzwischen nutzen viele Betriebsräte das **E-Mail-System** im Betrieb und verschicken ihre Informationen an die Belegschaft mit E-Mail. Auch hier

sollte man sich die Gestaltung der Einladung zur Betriebsversammlung gut überlegen, damit die Einladung nicht in der täglichen E-Mail-Flut einfach untergeht. Die Einladung ausschließlich per E-Mail zu versenden ist nur dann möglich, wenn alle Beschäftigten des Betriebs eine eigene E-Mail-Adresse haben und dieses Medium bei ihrer Arbeit nutzen. Denn jeder muss erfahren, dass eine Betriebsversammlung stattfindet.
Möchte der Betriebsrat für die Betriebsversammlung besonders mobilisieren, weil vielleicht sehr dringende und brisante Themen anstehen, kann er die Einladung auch als **Flugblatt** verteilen. Der Vorteil ist, dass man dabei mit den Beschäftigten ins Gespräch kommt und nochmals Werbung und Überzeugungsarbeit für die Dringlichkeit der Teilnahme an der Betriebsversammlung machen kann.

Hinweis:
Die Flugblätter können in der Mittagszeit in der Kantine oder zu Beginn der Arbeitszeit vor dem Eingang des Betriebs verteilt werden. Dem Betriebsrat ist es auch erlaubt, die Beschäftigten an ihrem Arbeitsplatz aufzusuchen und dort das Flugblatt zu hinterlassen.

Zeitpunkt der Einladung

Der Betriebsrat wird sich überlegen, zu welchem Zeitpunkt die Einladungen an die Belegschaft herausgegeben werden. Das Betriebsverfassungsgesetz enthält keine Vorgaben dazu, wie lange vorher eine Einladung erfolgen soll. Wichtig ist, dass die Einladung alle Betriebsangehörigen erreichen kann.

Rechtsprechung:
Das LAG Düsseldorf hat einmal entschieden, dass die Einladungsfrist in keinem Fall drei Tage unterschreiten darf.[34]

In der Regel wird man jedoch eine längere Einladungsfrist ins Auge fassen. Die Belegschaft soll sich darauf vorbereiten können. Man sollte den Kollegen auch Gelegenheit geben, ihre Arbeit am Arbeitsplatz so zu organisieren, dass nicht dringend zu erledigende Arbeiten sie daran hindern, an der Betriebsversammlung teilzunehmen. Es ist sicherlich richtig, dass jeder das Recht hat, die Arbeit liegen zu lassen und stattdessen die Betriebsversammlung zu besuchen. Es ist aber die Realität, dass sich Beschäftigte schwer damit tun, wenn die Arbeit dringend erledigt werden muss. Eine solche Situation führt dann zu unnötigem Druck auf die Be-

34 LAG Düsseldorf 11.4.1989 – 12 TaBV 9/89.

schäftigten. Erfolgt die Einladung zur Betriebsversammlung frühzeitig, kann man besser planen. Dies gilt auch für private Vorhaben. Weiß man rechtzeitig über den Termin der Betriebsversammlung Bescheid, wird man an diesem Tag nur in wirklich dringenden Fällen einen Gleittag nehmen, um private Dinge zu erledigen. Die Einladung **10 bis14 Tage** vor dem Termin der Betriebsversammlung zu verschicken, erscheint deshalb sinnvoll.

Hinweis:
Es empfiehlt sich, kurz vor dem Termin nochmals an die Betriebsversammlung zu erinnern. Dies kann nochmals im Rahmen einer Mailing-Aktion erfolgen. Auch Plakate vor der Kantine oder an anderen viel besuchten Plätzen eignen sich für eine Erinnerung.

Es darf nicht vergessen werden, dass auch der Arbeitgeber und die im Betriebsrat vertretenen Gewerkschaften zur Betriebsversammlung eingeladen werden müssen. !

8. Teilnehmer der Betriebsversammlung

a. Die Beschäftigten im Betrieb

Die Betriebsversammlung ist nicht öffentlich. Der Teilnehmerkreis der Betriebsversammlung besteht in erster Linie aus den Arbeitnehmern des Betriebs. Dabei ist weniger die Vertragsgrundlage, auf der die Beschäftigten arbeiten ausschlaggebend, als vielmehr die Frage, ob ein Beschäftigter zum Betrieb gehört.
Zur Betriebsversammlung **einzuladen sind**:

- Befristet Beschäftigte,
- Beschäftigte in Teilzeit und Minijobs,
- Beschäftigte in Telearbeit oder Homeoffice,
- Beschäftigte im Außendienst,
- Beschäftigte, die vorübergehend im Auslandseinsatz sind. Dazu zählen auch im Betrieb eingesetzte **Leiharbeiter** (§ 14 Abs. 2 AÜG). Sie haben das Recht auch an Betriebsversammlungen des Betriebs teilzunehmen, in dem sie eingesetzt werden (Entleiherbetrieb). In diesem Betrieb erbringen sie schließlich ihre Arbeitsleistung. Die Verhältnisse im Entleiherbetrieb spielen für sie ebenfalls eine große Rolle. Deshalb

Beschäftigte in Leiharbeit

sollen sie sich auch genauso wie die anderen Beschäftigten an der Betriebsversammlung beteiligen können.

Leitende Angestellte

Leitende Angestellte (§ 5 Abs. 3 BetrVG) dürfen an Betriebsabteilungsversammlungen **nicht** teilnehmen. Es ist nicht immer leicht zu beurteilen, wer leitender Angestellter im Betrieb ist und wer nicht. Nicht jeder Beschäftigte, der eine Abteilung oder einen Bereich leitet, ist ein leitender Angestellter im Sinne des Betriebsverfassungsgesetzes.

Begriffserklärung:
Das Betriebsverfassungsgesetz sieht als leitenden Angestellten einen Mitarbeiter an, der

- selbstständig einstellen **und** entlassen darf, oder
- mit Prokura oder Generalvollmacht ausgestattet ist, die auch im Innenverhältnis zum Arbeitgeber nicht unbedeutend sein darf, oder
- Aufgaben von solchem Gewicht im Betrieb wahrnimmt, dass sie für den Bestand und die Entwicklung des Unternehmens oder des Betriebs von Bedeutung sind und er seine Aufgaben und Entscheidungen im Wesentlichen frei von Weisungen trifft oder solche Entscheidungen maßgeblich beeinflusst.

Ein leitender Angestellter nimmt trotz seines Status als Arbeitnehmer Aufgaben war, die ein Arbeitgeber ausübt. Anders gesagt, der Arbeitgeber bedient sich eines leitenden Angestellten, um die Unternehmensaufgaben zu erledigen. Diese Angestellten stehen damit quasi im Lager des Arbeitgebers. Dabei spielt die persönliche Einstellung eines Angestellten mit Leitungsfunktion keine Rolle, sondern es kommt auf seine objektive Stellung im Betrieb an.
Durch ihre Stellung im Betrieb besteht ein Interessensgegensatz zwischen dem Betriebsrat und den leitenden Angestellten. Deshalb werden sie weder vom Betriebsrat vertreten, noch dürfen sie an Betriebs- und Abteilungsversammlungen teilnehmen.

Hinweis:
Können die oben genannten Kriterien nicht eindeutig beantwortet werden, ist im Zweifelsfall der Blick in die Wählerliste der letzten Betriebsratswahl ein guter Orientierungspunkt. Ist der Angestellte in der Wählerliste vermerkt, kann man davon ausgehen, dass er kein leitender Angestellter ist.

Kommen leitende Angestellte dennoch zur Betriebs- oder Abteilungsversammlung, ist der Betriebsrat aufgrund seines Hausrechts berechtigt, sie aufzufordern, die Versammlung zu verlassen. Das ist nur dann nicht möglich, wenn sie als Vertreter des Arbeitgebers auf die Versammlung entsandt werden, um z. B. den Bericht über die wirtschaftlichen und sozialen Entwicklungen des Betriebs zu halten (siehe Seite 67 f.).

Betriebsfremde Personen

Die Betriebsversammlung ist, wie bereits erwähnt, nicht öffentlich. Der Betriebsrat kann aber durchaus **betriebsfremde Personen** zur Betriebsversammlung einladen. Dafür benötigt er einen **sachlichen Grund**.

> **Beispiel:**
> Ein sachlicher Grund liegt vor, wenn diese Personen eine enge Bindung zum Betrieb und der Arbeitnehmerschaft haben. Dies gilt für alle Mitglieder des Gesamtbetriebsrats, des Konzernbetriebsrats, des europäischen Betriebsrats, des Wirtschaftsausschusses und der Vertreter der Arbeitnehmer im Aufsichtsrat.

Auch wenn diese Kollegen dem Betrieb nicht angehören, sondern einem anderen Betrieb des Unternehmens oder des Konzerns, kann der Betriebsrat sie dennoch zur Betriebsversammlung einladen.[35]

Die Gesamtschwerbehindertenvertretung hat ein Teilnahmerecht auch an Betriebsversammlungen in Betrieben in denen keine Schwerbehindertenvertretung gewählt wurde. Dies ergibt sich aus der Systematik von § 180 Abs. 6 S. 1 SGB IX Der Gesamtschwerbehindertenvertretung steht die Vertretung der schwerbehinderten Menschen im Betrieb zu.[36]

Der Betriebsrat kann auch **Referenten** zu bestimmten Themen einladen, die besonders sachkundig sind.

> **Beispiele:**
> - Steht die Neuverhandlung der Arbeitszeit an, könnte ein Referent für Arbeitszeitfragen Gast der Betriebsversammlung sein. Das kann z. B. ein **Gewerkschaftssekretär** oder ein anderer Experte sein.
> - Ein solcher Grund wäre auch gegeben, wenn der Betriebsrat einen betriebswirtschaftlichen **Sachverständigen** einlädt, um die wirtschaftlichen Zahlen des Unternehmens zu erläutern.
> - Der Betriebsrat kann auch seinen **Rechtsanwalt** bitten, zu komplizierten rechtlichen Themen, die die Belegschaft im Betrieb betreffen, auf der Betriebsversammlung zu sprechen, wie z. B. »welche Tarifverträge gelten

35 Berg in BetrVG Kommentar, Däubler/Klebe/Wedde (Hrsg.), 20. Auflage 2026, § 42 Rn. 9.
36 BAG 12. 12. 2023 – 7 ABR 23/22.

im Betrieb nach dem Austritt des Arbeitgebers aus dem Arbeitgeberverband«.

b. Der Arbeitgeber

aa. Anwesenheit des Arbeitgebers

Teilnahmerecht des Arbeitgebers

Der Arbeitgeber ist zu den Betriebs- und Abteilungsversammlungen unter Mitteilung der Tagesordnung einzuladen (§ 43 Abs. 2 BetrVG). Dem Arbeitgeber muss auf den Betriebs- und Abteilungsversammlungen auch ein **Rederecht** eingeräumt werden. Dies sieht das Gesetz vor.

Leider ist es nicht möglich, Betriebs- und Abteilungsversammlungen ohne den Arbeitgeber durchzuführen.[37] Dies wäre in vielen Situationen wünschenswert, nämlich dann, wenn man eine Aussprache mit den Kollegen herbeiführen möchte, ohne dass der Arbeitgeber anwesend ist. Ohne Arbeitgeber wäre sicherlich in den meisten Fällen eine lebendigere Aussprache und Diskussion möglich. Viele Kollegen fürchten sich, offen ihre Meinung zu bestimmten Themen im Betrieb zu sagen. Die Furcht mag berechtigt oder unberechtigt sein. Die Wirkung ist aber die gleiche, der Beschäftigte wird sich nicht zu Wort melden. Von der Hand zu weisen ist auch nicht, dass unbequeme Beschäftigte doch oftmals schnell in den Fokus des Arbeitgebers geraten, wenn dieser z. B. Personalabbaumaßnahmen geplant hat. Auch die Karriere wird manchmal deutlich gehemmt, wenn man dem Arbeitgeber zu oft widerspricht.

Außerordentliche Betriebsversammlung

Hinweis:
Das Gesetz sieht nur bei **außerordentlichen Betriebsversammlungen** (§ 43 Abs. 3 BetrVG) vor, dass diese ohne Teilnahme des Arbeitgebers stattfinden. Die Einberufung einer außerordentlichen Betriebsversammlung hat aber in der Regel den Nachteil, dass sie nicht während der Arbeitszeit stattfinden darf und die Beschäftigten für diese Zeit nicht vergütet werden. Dies ist also keine wirkliche Lösung, wenn der Betriebsrat eine vertrauliche Aussprache mit der Belegschaft herbeiführen möchte.

Der Betriebsrat sollte sich aber nicht scheuen, an den Arbeitgeber zu appellieren, auf sein Recht zur Teilnahme an der gesamten Betriebsversammlung oder zumindest zu bestimmten Tagesordnungspunkten zu verzichten.

37 Hessisches LAG 27.2.2017 – 16 TaBV 76/16.

Es gibt keine Anwesenheitspflicht für den Arbeitgeber, so dass es ohne weiteres möglich ist, den Arbeitgeber aufzufordern, die Betriebsversammlung zu verlassen. Damit stellt sich der Betriebsrat nicht außerhalb des Betriebsverfassungsgesetzes.

!

Die Aufforderung kann vor allen Teilnehmern erfolgen. Der Arbeitgeber wird sich genau überlegen, ob er tatsächlich gegen den Willen des Betriebsrats und der Belegschaft auf der Betriebsversammlung bleibt, obwohl er öffentlich aufgefordert wurde, zu gehen. Bleibt er dennoch, hat das schon den Anschein, dass er der Belegschaft und dem Betriebsrat misstraut und genau wissen möchte, was im Einzelnen gesprochen wird. Er gibt deutlich zu verstehen, dass er eine offene Aussprache unter Kollegen nicht wünscht. Das ist für den Arbeitgeber kein gutes Aushängeschild und wirkt in keinem Fall souverän.
Nur wenn der Arbeitgeber seinen Bericht (§ 43 Abs. 2 BetrVG) halten muss, hat er eine **Anwesenheitspflicht.**
Der Arbeitgeber ist verpflichtet, an der Betriebsversammlung teilzunehmen, wenn der Betriebsrat ihn auffordert, zu bestimmten Themen Stellung zu nehmen. Diese Pflicht des Arbeitgebers ergibt sich aus einer Vorschrift des Betriebsverfassungsgesetzes, die Arbeitgeber und Betriebsrat zur vertrauensvollen Zusammenarbeit verpflichtet (§ 2 BetrVG).

Näheres zur Anwesenheitspflicht auf Seite 49

bb. Vertretung des Arbeitgebers

Juristische Person

Die meisten Unternehmen und Betriebe sind heute nicht mehr im Besitz einer sogenannten natürlichen Person. Mit diesem juristischen Ausdruck sind tatsächlich Menschen gemeint. Unternehmen sind nur noch sehr selten durch einen Inhaber geführt. Sie sind in aller Regel als eine sogenannte **juristische Person** organisiert.

Beispiele:
Juristische Personen sind z. B. eine GmbH, eine Aktiengesellschaft, eine offene Handelsgesellschaft, eine Kommanditgesellschaft u. a. m.

Es gibt noch einige andere nicht so relevante Formen von juristischen Personen. Diese juristischen Personen können selbstverständlich nicht an einer Betriebsversammlung teilnehmen, da sie weder sprechen noch zuhören können. Sie werden vertreten durch ein Mitglied des Organs, das die juristische Person vertritt.

> **Beispiele:**
> Dies kann der Geschäftsführer der GmbH selbst sein oder ein Vorstandsmitglied der Aktiengesellschaft.

Näheres zur Vertretung des Arbeitgebers auf Seite 49

Die Arbeitgeber haben auch das Recht, sich durch eine Person auf der Betriebsversammlung vertreten zu lassen, die mit Vertretungsmacht ausgestattet ist.

> **Beispiele:**
> Dies kann der Personalleiter sein oder ein anderer leitender Angestellter. Dieser hat auch das Recht, auf der Betriebsversammlung als **Vertreter des Arbeitgebers** anwesend zu sein.

cc. Unterstützung des Arbeitgebers

Vertreter des Arbeitgeberverbands

Nimmt der Arbeitgeber an der Betriebsversammlung teil und ist er Mitglied in einem **Arbeitgeberverband**, darf er zu seiner Unterstützung einen Vertreter dieses Verbandes zur Betriebsversammlung mitbringen (§ 46 Abs. 1 BetrVG). Weitere Personen kann der Arbeitgeber zur Betriebsversammlung nicht hinzuziehen. Er kann nicht einfach seinen Rechtsanwalt, der ihn ständig in arbeitsrechtlichen Angelegenheiten berät, auf der Betriebsversammlung sprechen lassen. Auch als stiller Beobachter hat der Anwalt kein Recht teilzunehmen.
Es ist jedoch von der Rechtsprechung anerkannt, dass der Arbeitgeber bei seinem verpflichtenden Bericht **sachkundige Personen** aus der Riege der Leitungskräfte zu bestimmten Themen hinzuziehen kann.

> **Beispiel:**
> Es ist möglich, den zuständigen Angestellten für Umweltschutzfragen bei einem Bericht über den betrieblichen Umweltschutz hinzuzuziehen.[38]

dd. Hausrecht des Betriebsrats

Der Betriebsrat hat auf der Betriebsversammlung das uneingeschränkte **Hausrecht**. Der Arbeitgeber oder seine Vertreter dürfen deshalb sprechen, wenn der Betriebsrat ihnen das Wort erteilt. Es ist nicht zulässig, dem Arbeitgeber das Rederecht vollständig zu entziehen. Der Betriebsrat hat aber die Möglichkeit, den Zeitpunkt festzulegen und die Dauer des Redebeitrags zu begrenzen. Er muss es nicht hinnehmen, dass der Arbeitgeber beliebig lange und ausführlich spricht. Möglicherweise so lange bis

---

38 Berg in BetrVG Kommentar, Däubler/Klebe/Wedde (Hrsg.), 20. Auflage 2026, § 43 Rn. 23.

das Publikum genervt und gelangweilt die Betriebsversammlung verlässt. In diesen Fällen kann er dem Arbeitgeber das Rederecht entziehen.

Hinweis:
Es ist nicht ratsam, den Arbeitgeber am Ende der Betriebsversammlung sprechen zu lassen und ihm damit das letzte Wort zu geben. Seine Beiträge sollten nicht unkommentiert bleiben. Der Betriebsrat sollte seine Sicht der Dinge zu den vom Arbeitgeber dargestellten Punkten darlegen. Möglich ist es, diese Rolle dem eingeladenen Gewerkschaftsvertreter zu überlassen, indem man ihm das Rederecht nach dem Arbeitgeber einräumt. Auch die Idee, den Arbeitgeber am Anfang sprechen zu lassen, ist nicht gut. Die Betriebsversammlung ist die Veranstaltung des Betriebsrats und sollte nicht den Anschein einer Mitarbeiterversammlung erwecken (siehe auch Seite 21 f.).

c. Die Gewerkschaften

Vertreter der Gewerkschaften

Die Vertreter der im Betrieb vertretenen Gewerkschaften haben ein Teilnahmerecht an den Betriebs- und Abteilungsversammlungen (§ 46 Abs. 1 BetrVG). Sie sind auch, ohne dass sie ausdrücklich eingeladen wurden, berechtigt, an diesen Versammlungen teilzunehmen.
Ist eine Gewerkschaft dagegen im Betriebsrat vertreten, muss ihr der Zeitpunkt und die Tagesordnung rechtzeitig schriftlich mitgeteilt werden (§ 46 Abs. 2 BetrVG).

Begriffserklärung:
Im Betrieb vertreten ist eine Gewerkschaft, wenn sie mindestens ein Mitglied im Betrieb organisiert hat. Im Betriebsrat ist eine Gewerkschaft vertreten, wenn ein Mitglied des Betriebsrats auch Mitglied dieser Gewerkschaft ist. Dabei muss es sich um eine tariffähige Gewerkschaft handeln. Kleine oder neu gegründete Gewerkschaften, die ihre Tariffähigkeit noch nicht unter Beweis stellen konnten, haben kein Teilnahmerecht bei Betriebs- und Abteilungsversammlungen.

Dies ergibt sich nicht aus dem Wortlaut des Betriebsverfassungsgesetzes, denn dieser unterscheidet nicht zwischen tariffähigen und nicht tariffähigen Gewerkschaften. Dies ergibt sich aus der Rechtsprechung des **Bundesarbeitsgerichts**.[39]

---

39 BAG 19.9.2006 – 1 ABR 53/05.

Der Arbeitgeber darf den Gewerkschaften den Zutritt zur Betriebs- bzw. Abteilungsversammlung nicht verweigern. Gelegentlich kommen Arbeitgeber auf die Idee, bestimmte Gewerkschaftsbeauftragte abzulehnen. Hat der für den Betrieb zuständige hauptamtliche Gewerkschafter dem Arbeitgeber auf der letzten Betriebsversammlung gut kontra gegeben, möchte der Arbeitgeber vermeiden, dass das nochmals vorkommt. Oder die letzten Verhandlungen z. B. zur Arbeitszeit im Betrieb waren sehr kontrovers und der Arbeitgeber gibt dem hauptamtlichen Gewerkschaftsvertreter dafür die Schuld. Er erhofft sich, dass es leichter wird mit dem Betriebsrat, wenn er die Gewerkschaft außen vorlässt. Da das Betriebsverfassungsgesetz den Gewerkschaften aber ein Teilnahmerecht für die Betriebsversammlung einräumt, kann er der Gewerkschaft die Teilnahme nicht verbieten. Der Angriff richtet sich stattdessen gegen den beauftragten Vertreter der Gewerkschaft.
Die Gewerkschaft entscheidet aber selbst, wen sie zu der Betriebs- oder Abteilungsversammlung entsendet. Der Arbeitgeber darf sich die Person nicht aussuchen oder bestimmte Personen ablehnen. Das wäre nur möglich, wenn er Anhaltspunkte dafür hätte, dass der Vertreter der Gewerkschaft auf der Betriebsversammlung gegen Gesetze verstößt.

> **Beispiele:**
> Der Gewerkschaftsvertreter macht parteipolitische Werbung oder beleidigt den Arbeitgeber in strafbarer Weise.[40]

Das Betriebsverfassungsgesetz sieht eine beratende Rolle für die Gewerkschaften vor. Dies bedeutet, dass die Gewerkschaftsvertreter das Wort ergreifen können, um zu Themen der Betriebsversammlung Stellung zu nehmen oder andere relevante Themen, auch tarifpolitische, anzuschneiden.

! **Den Skeptikern gegenüber den Gewerkschaften sei gesagt, dass der Betriebsrat einen schweren Pflichtenverstoß begeht, wenn er sich weigert, der Gewerkschaft Zeitpunkt und Tagesordnung der Betriebs- oder Abteilungsversammlung mitzuteilen.**

Dies zeigt sehr anschaulich der folgende brisante Fall:

40 ArbG Münster 23. 6. 1959 – BV 3/59.

Beispiel:
Ein Betriebsrat in einem Betrieb, der mit der Herstellung von Hochdruckreinigern beschäftigt ist, weigerte sich hartnäckig, die Vertreterin der Gewerkschaft zur Betriebsversammlung einzuladen. Damit die Vertreterin auch ja nicht ungeladen kommt, hat der Betriebsratsvorsitzende sie zudem über den Termin falsch informiert. Die Gewerkschaft beantragte daraufhin, den Betriebsrat aus seinem Amt zu entfernen. Dieses Verfahren war für die Gewerkschaft erfolgreich, denn der Betriebsrat hatte sich einen schweren Pflichtenverstoß zuschulden kommen lassen (§ 23 Abs. 1 BetrVG).[41] Mit Rechtskraft eines solchen Verfahrens besteht dann im Betrieb kein Betriebsrat mehr. Es muss neu gewählt werden.

9. Durchführung der Betriebsversammlung

a. Versammlungsleitung und Hausrecht

Versammlungsleitung

Das Betriebsverfassungsgesetz gibt vor, dass die Betriebsversammlung vom Vorsitzenden des Betriebsrats geleitet wird (§ 42 Abs. 1 BetrVG). Ist der Betriebsratsvorsitzende verhindert, leitet dessen Stellvertreter die Betriebsversammlung. Sind beide verhindert, muss der Betriebsrat beschließen, wer statt ihrer die Versammlung leitet.[42]
Das Gesetz legt nicht fest, was alles zu den Aufgaben der Versammlungsleitung zählt. In der Regel wird der Versammlungsleiter die Betriebsversammlung eröffnen und die Anwesenden begrüßen. Er wird die Tagesordnung vorstellen und den jeweiligen Referenten das Wort erteilen. Er kann die Diskussion leiten. Schlussendlich wird er die Betriebsversammlung wieder schließen.
Dies bedeutet jedoch nicht, dass der Betriebsrat per Beschluss nicht einzelne Aufgaben auf andere Betriebsratsmitglieder übertragen kann. Die einzelnen Punkte des Tätigkeitsberichts des Betriebsrats können ohne weiteres per Beschluss auf andere Betriebsratsmitglieder, auch mehrere, übertragen werden (siehe Seite 59).

Moderator

Zur Entlastung des Betriebsratsvorsitzenden ist es möglich, die **Moderation** der Diskussion einem anderen Betriebsratsmitglied zu übertragen. Dies spricht nicht gegen den Grundsatz, dass der Betriebsratsvorsitzende die Versammlung zu leiten hat. Durch die Moderation soll eine Diskussion methodisch geleitet werden. Der Moderator selbst beteiligt sich nicht

41 LAG Baden-Württemberg 13.3.2014 – 6 TaBV 5/13.
42 BAG 19.5.1978 – 6 ABR 41/75.

an der Diskussion. Er soll die Meinung der Diskutierenden nicht beeinflussen.

Hinweis für den Moderator:
- Ausreden lassen, jede Meinung ist wichtig.
- Störung hat Vorrang, organisatorische oder »atmosphärische« Störungen werden, wenn möglich, ausgeräumt und nicht einfach übergangen.
- Andere Meinungen tolerieren. Fehler sind erlaubt.
- Kritik wird akzeptiert, unsachliche verletzende Beiträge zurückgewiesen.
- Alle Redner sind auf gleicher Augenhöhe.
- Die Zeit im Blick behalten, Diskussionsbeiträge sollten auf 2–3 Minuten beschränkt sein.

! **In Betriebs- und Abteilungsversammlungen hat der Betriebsrat das Hausrecht und nicht der Arbeitgeber.**

Hausrecht des Betriebsrats

Das Hausrecht erstreckt sich auch auf die Zugangswege zur Betriebsversammlung. Niemand darf die Teilnehmer daran hindern, auf die Versammlung zu kommen. Das Hausrecht übt der Versammlungsleiter der Betriebsversammlung aus.
Dieses Hausrecht umfasst auch die Frage der **Sitzordnung** im Versammlungsraum. Es ist keinesfalls ratsam, den Arbeitgeber während der Betriebsversammlung auf dem Podium sitzen zu lassen. Damit hätte er einen exklusiven Platz von dem aus er ständig Augenkontakt mit den Teilnehmern der Betriebsversammlung halten und sie beobachten kann. Außerdem hat die erhöhte Sitzhaltung die Wirkung, dass der Arbeitgeber nicht ein Teilnehmer der Betriebsversammlung unter vielen ist, sondern eine herausgehobene Stellung hat und quasi auf die Beschäftigten herabblickt.
Wann und wie lange der Arbeitgeber oder andere Redner das Wort ergreifen können, bestimmt der Versammlungsleiter oder gegebenenfalls der Moderator.

Beispiel:
Redet der Arbeitgeber länger als vereinbart, kann ihm getrost nach einiger Überziehungszeit das Wort entzogen werden. Gleiches gilt, wenn sich der Arbeitgeber nicht an die vereinbarten Themen hält.

! **Die Betriebsversammlung ist eine Veranstaltung des Betriebsrats. Er bestimmt die zu behandelnden Themen.**

Es ist auch darauf zu achten, dass der Arbeitgeber nicht die Versammlungsleitung an sich zieht und den Gang der Veranstaltung bestimmt. Der Betriebsrat sollte hier ohne Wenn und Aber von seinem Hausrecht Gebrauch machen.

Tonaufzeichnungen

Dem Arbeitgeber und anderen Teilnehmern ist es nicht gestattet, **Tonaufzeichnungen** z. B. mit dem Smartphone vorzunehmen. Sie würden hiermit gegen das Bundesdatenschutzgesetz verstoßen und in unzulässiger Weise in das Persönlichkeitsrecht der Beschäftigten eingreifen. Gleichzeitig begehen sie eine Straftat.

Gesetz: § 201 Abs. 1 Strafgesetzbuch (StGB)

»Mit Freiheitsstrafe bis zu drei Jahren oder mit Geldstrafe wird bestraft, wer unbefugt

1. *das nichtöffentlich gesprochene Wort eines anderen auf einen Tonträger aufnimmt oder*
2. *eine so hergestellte Aufnahme gebraucht oder einem Dritten zugänglich macht.«*

Da in heutigen Zeiten immer sorgloser mit Video- und Audioaufnahmen umgegangen wird und jeder mit seinem Smartphone leicht alles mitschneiden kann, ist es empfehlenswert, zu Beginn der Betriebsversammlung auf das Verbot von Ton- und Videoaufnahmen hinzuweisen. In manchen Betrieben sind Betriebsräte schon dazu übergegangen, ein Verbot des Gebrauchs von Smartphones auf der Betriebsversammlung auszusprechen.

Wortprotokolle

Es ist weder dem Arbeitgeber noch anderen gestattet **Wortprotokolle** zu fertigen. Durch solche Protokolle wird die freie Meinungsäußerung gehindert. Die Beschäftigten sind gehemmt, sich zu Wort zu melden und Redebeiträge zu leisten.[43] Über das Hausrecht setzt der Versammlungsleiter diese Grundsätze durch.

Nichtöffentlichkeit

Die Betriebsversammlung ist **nicht öffentlich**. Deshalb dürfen nur von Gesetzes wegen zugelassene oder vom Betriebsrat eingeladene Personen teilnehmen. Mischen sich z. B. leitende Angestellte unter die Teilnehmer, muss der Versammlungsleiter sie des Raumes verweisen. Kommt jemand der Aufforderung nicht nach, den Raum zu verlassen, kann auch die Polizei gerufen werden.

43 LAG Hamm 9. 7. 1986 – 3 TaBV 31/86.

b. Themen der Betriebsversammlung

aa. Zulässige Themen

Unter dem Abschnitt Einladung und Tagesordnung (siehe Seite 42 ff.) wurde schon beschrieben, nach welchen Kriterien die Tagesordnung am besten gestaltet und die Themen für die Betriebsversammlung auswählt werden. Dieser Abschnitt beschäftigt sich nun mit der Frage, welche Themen überhaupt für die Betriebsversammlung infrage kommen.

Themenspektrum

Das **Spektrum der Themenbereiche** wurde durch den Gesetzgeber festgelegt (§ 45 BetrVG). Themen aus folgenden Bereichen sind mögliche Themen für eine Betriebsversammlung:

- Tarifpolitik,
- Sozialpolitik,
- Umweltpolitik,
- wirtschaftliche Fragen,
- Fragen der Förderung und Gleichstellung von Frauen und Männern,
- Vereinbarung von Familie und Erwerbstätigkeit,
- Integration der im Betrieb beschäftigten ausländischen Arbeitnehmer
- und alle Angelegenheiten, die den Betrieb und die Belegschaft unmittelbar betreffen.

Diese Aufzählung zeigt, dass es kaum ein Thema gibt, das nicht auf der Betriebsversammlung behandelt werden kann und darf. Dies öffnet dem Betriebsrat einen weiten Spielraum bei der Festlegung der Themen.

> **Beispiel:**
> Es ist damit möglich, auf einer Betriebsversammlung über Gesetzesvorhaben der Bundesregierung zu berichten und zu diskutieren. Man kann sagen, dass alle Themen der Politik, die einen Bezug zur Arbeitswelt haben, auch Themen für eine Betriebsversammlung sein können.

Nicht zulässig ist es, auf einer Betriebsversammlung **parteipolitische Themen** zu behandeln. Dies schließt nicht aus, dass der Betriebsrat einen Politiker zur Betriebsversammlung einladen kann, der zu Angelegenheiten, die den Betrieb und die Belegschaft unmittelbar betreffen, spricht. Werbung für politische Parteien und Wahlkampf ist jedoch nicht zulässig.[44]

Arbeitskampf

Steht ein **Arbeitskampf** bevor, dürfen Maßnahmen des Arbeitskampfes nicht Gegenstand auf einer Betriebsversammlung sein. Dies hat seine Ursache darin, dass das Betriebsverfassungsgesetz den Betriebsrat und

44 BAG 13.9.1977 – 1 ABR 67/75.

den Arbeitgeber zur vertrauensvollen Zusammenarbeit verpflichtet. Das schließt Arbeitskampfmaßnahmen zwischen Betriebsrat und Arbeitgeber aus.

Hinweis:
Selbstverständlich dürfen auch Mitglieder des Betriebsrats an Arbeitskämpfen teilnehmen. Denn auch sie können sich auf ihre Rechte aus Art. 9 Abs. 3 GG berufen. Nehmen die Betriebsratsmitglieder an Maßnahmen des Arbeitskampfes teil, tun sie das nicht in ihrer Rolle als Betriebsratsmitglieder, sondern als Arbeitnehmer und gegebenenfalls Gewerkschaftsmitglieder.

bb. Tätigkeitsbericht

Tätigkeitsbericht

Der Betriebsrat ist verpflichtet, auf den einmal im Quartal stattfindenden Versammlungen einen **Tätigkeitsbericht** über die Arbeit des Betriebsrats zu erstatten (§ 43 Abs. 1 BetrVG). Der Sinn des Tätigkeitsberichts ist, dass die Belegschaft darüber informiert wird, was der Betriebsrat im letzten Vierteljahr getan hat. Dabei hat der Betriebsrat Gelegenheit, seine Erfolge bei der Betriebsratsarbeit darzustellen. Ein wichtiger Effekt des Tätigkeitsberichtes ist auch, dass der Betriebsrat versucht, für seine künftigen Vorhaben den Rückhalt und die Unterstützung aus der Belegschaft zu bekommen.
Erfahrungsgemäß wird ein Betriebsrat für Misserfolge und Dinge, die er nicht durchsetzen konnte, von der Belegschaft oftmals hart kritisiert, während die Erfolge der Betriebsratsarbeit als selbstverständlich hingenommen werden. Davon darf man sich nicht entmutigen lassen.

Hinweis:
Ganz schlecht ist der Betriebsrat beraten, wenn er Misserfolge und Schwächen in seiner Arbeit im Tätigkeitsbericht verschweigt oder zu sehr herunter spielt. Man ist besser beraten, sich der Diskussion offen zu stellen. Denn in aller Regel lassen sich Misserfolge auf Dauer vor der Belegschaft nicht verbergen. Haben dann die Kollegen das Gefühl, »hinters Licht geführt zu werden« fällt die Kritik am Betriebsrat umso härter aus. Es entsteht ein Misstrauen gegenüber dem Betriebsrat.

Jede Kleinigkeit der Betriebsratsarbeit wird nicht in den Tätigkeitsbericht aufgenommen. Das würde den Tätigkeitsbericht überfrachten und bei den Zuhörern zu Langeweile führen.
Der Tätigkeitsbericht wird im Betriebsratsgremium vorbereitet. Dort sollte sich der Betriebsrat überlegen, welche **Schwerpunkte** er aufnimmt. Er

wird sich für die spannenden Themen entscheiden, die den großen Teilen der Belegschaft »auf den Nägeln brennen« und gelöst werden sollen.

Bericht über Routine-Arbeiten

Ein weiterer Themenblock sollte ein Überblick über die **Routine-Arbeiten** des Betriebsrats sein. Hier darf man sich nicht in Kleinigkeiten verlieren, die den Zuhörer schnell langweilen. Aber einen Einblick in die Betriebsratsarbeit zu geben, schafft Verständnis für die Aufgaben des Betriebsrats.

Eine Belegschaft, die gut über die tägliche Arbeit des Betriebsrats informiert ist, wird Verständnis für dessen Arbeit haben. Es wird leichter für die Betriebsratsmitglieder, den Arbeitsplatz zu verlassen, um Betriebsratsarbeit zu erledigen. Die Vorwürfe, der Betriebsrat würde nur Kaffee trinken und stundenlang diskutieren, werden abnehmen.

Der dritte Themenblock sollte sich dann damit beschäftigen, was seit der letzten Betriebsversammlung passiert ist, welche Probleme sind weiterhin offen, welche konnten erfolgreich gelöst werden.

Der Tätigkeitsbericht kann folgendermaßen aufgebaut sein:

- Kurzer Überblick über die Routinetätigkeiten des Betriebsrats anhand von ein paar wenigen konkreten Beispielen
- Schwerpunktthemen, aktuelle Aufgabe
  a) …
  b) …
  c) …
- Rückblick zur letzten Betriebsversammlung
- Ausblick auf das nächste Vierteljahr

Hinweis:
Ein guter Bericht gibt Antworten auf die sogenannten W-Fragen. Sie können eine Richtschnur für jeden Punkt, den man in den Tätigkeitsbericht aufgenommen hat, sein. Die Fragen helfen dabei, sich nicht zu verzetteln und dem Zuhörer das Zuhören zu erleichtern.

Die W-Fragen:
- Wer tut was mit wem, wann, wo und warum?
- Welche Folgen und Ergebnisse gibt es?
- Welche weiteren Schritte wird es geben?

Wichtige Regeln beim Abfassen von Berichten:

- Den Zweck des Berichts im Auge behalten, was möchte man sagen, was erwartet der Zuhörer.
- Die W-Fragen beachten.

- Die zeitliche und logische Abfolge der Ereignisse im Blick haben.
- Genaue Angaben machen und sich auf das Wesentliche beschränken.
- Unwichtige Einzelheiten weglassen.

Wer hält den Tätigkeitsbericht?

Der Betriebsrat muss nicht nur den **Tätigkeitsbericht** beschließen, sondern sich auch Gedanken darüber machen, wer den Tätigkeitsbericht auf der Betriebsversammlung hält. Dabei ist es keineswegs so, dass der Bericht durch den Betriebsratsvorsitzenden oder im Verhinderungsfall durch dessen Stellvertreter gehalten werden muss. Das wird zwar in vielen Kommentaren zum Betriebsverfassungsgesetz behauptet, diese Behauptung findet aber keine Grundlage im Gesetzestext. Dort heißt es lediglich, dass der Betriebsrat den Tätigkeitsbericht hält.

> **Hinweis:**
> Es empfiehlt sich, dass die einzelnen Punkte des Tätigkeitsberichts unter den Betriebsratsmitgliedern aufgeteilt werden. Es ist für die Beschäftigten kurzweiliger, wenn sie immer verschiedenen Personen zuhören. Darüber hinaus bietet diese Methode den Vorteil, dass die Belegschaft mehrere verschiedene Betriebsratsmitglieder erleben kann. Das gibt den Mitgliedern die Möglichkeit, sich der Belegschaft besser vorzustellen und sich bekannt zu machen. Gerade im Hinblick auf die nächste Betriebsratswahl ist dies kein unwichtiger Aspekt.

Ein weiterer Punkt ist, dass die einzelnen Betriebsratsmitglieder in der Regel unterschiedlich gut in verschiedene Themen eingearbeitet sind. Gut ist es, für den Redebeitrag das Betriebsratsmitglied auszuwählen, das in dem Thema die meiste **Sachkenntnis** hat.

Frei sprechen

Optimal ist es, wenn man den Tätigkeitsbericht in **freier Rede** halten kann und nur ein Stichwortkonzept benötigt. Das können die wenigsten Betriebsratsmitglieder. »Ein Podium ist eine unbarmherzige Sache, da steht der Mensch nackter als im Sonnenbad« hat schon Kurt Tucholsky die Situation sehr treffend beschrieben. Freie Rede benötigt viel Übung und Überwindung, um vor ein großes Publikum treten zu können.

Wenn man nur nach Stichworten redet, besteht die Gefahr, den Faden zu verlieren und den eigentlichen Punkt, den man sagen wollte, möglicherweise ganz zu vergessen. Manche Redner kommen dann »vom Hundertsten zum Tausendsten«. Der Vorwurf an den Redner: »Der Gedanke ist zu Ende, aber der Satz noch lange nicht« ist vernichtend.

Hinweis:
Es ist ratsam, die Rede aufzuschreiben und zu üben. Bei dem Vortrag sollte man bestimmte Regeln beachten:
- Der Einstieg sollte prägnant sein.
- Gut ist es, schnell zum eigentlichen Inhalt zu kommen (die sogenannten W-Fragen beachten, siehe Seite 58).
- Gut ist es, frei zu sprechen. Wenn das nicht möglich ist, sollte die Rede in nicht zu schnellem Tempo vorgelesen werden. Dabei sollte man immer wieder den Blickkontakt mit dem Publikum suchen.
- Gut sind kurze Hauptsätze ohne Nebensätze. Gut ist es nicht zu sprechen, wie man schreibt.
- Komplizierte Statistiken und Zahlenmaterial kann durch die Zuhörer nicht erfasst werden.
- Falsch wäre es, das Ende der Rede anzukündigen und dann noch 5 Minuten weiterzusprechen.
- Eine gute Rede sollte kurz sein.

cc. Meinungsfreiheit

Meinungsfreiheit

Ein Tätigkeitsbericht des Betriebsrats ist nicht etwa mit einem Unfallbericht an die Haftpflichtversicherung zu vergleichen. Dieser erfolgt sachlich ohne Wertung des Geschehens. Der Betriebsrat sollte die Ereignisse in jedem Fall werten und zu den einzelnen Punkten klar **Stellung beziehen**. Die Meinungsfreiheit, die in Art. 5 GG beschrieben ist, endet nicht am Werkstor oder am Eingang zum Betrieb. Mit der Bedeutung des Grundrechts wäre es nicht vereinbar, wenn dieses gerade in der Arbeitswelt eingeschränkt werden würde. Der Grundrechtsschutz der freien Meinungsäußerung besteht dabei unabhängig davon, ob eine Äußerung sachlich oder emotional, begründet oder unbegründet ist oder für nützlich, schädlich oder gar wertlos gehalten wird. Er bezieht sich sowohl auf den Inhalt als auch auf die Form der Äußerung. Auch polemische Äußerungen sind durch die Meinungsäußerungsfreiheit geschützt.[45] Die Redner dürfen durchaus Emotionen und Bissigkeit zeigen.

! **Die Meinungsäußerungsfreiheit findet erst dort ihre Grenzen, wo die Menschenwürde anderer verletzt wird oder die Meinungsäußerung eine Beleidigung oder Schmähkritik darstellt.**

Grenzen der Meinungsfreiheit

Behauptet man **falsche Tatsachen**, kann man sich auch nicht auf die Meinungsäußerungsfreiheit berufen. Will man anprangern, dass der Arbeitgeber bestimmte Arbeitsschutzmaßnahmen nicht durchführt, sollten die

45 BAG 24.11.2005 – 2 AZR 584/04.

Tatsachen stimmen. Wie schwerwiegend der Verstoß eingeschätzt wird, ist nun eine Wertung, die von der Meinungsäußerungsfreiheit geschützt ist. Auch Überspitzungen sind zulässig, machen sie doch oftmals erst richtig den Missstand deutlich.
An diesen Grundsätzen kann man erkennen, dass Betriebsratsmitglieder berechtigt sind, ihre Einschätzungen und Werturteile über die Geschehnisse und Verhältnisse im Betrieb ungeschminkt zu äußern. Sie bewegen sich dabei auf der vom Grundgesetz garantierten Meinungsäußerungsfreiheit. Vor Sanktionen durch den Arbeitgeber werden sie durch den ihnen zur Seite stehenden besonderen Kündigungsschutz und Schutz vor Versetzungen abgesichert. Das Betriebsratsmitglied darf sich dabei nicht zu Beleidigungen oder ehrverletzender Kritik hinreißen lassen.
Will man etwas im Betrieb bewegen, kommt es darauf an, Stellung zu beziehen. Wenn sich bereits der Betriebsrat nicht traut, von seinem Recht auf freie Meinung Gebrauch zu machen, werden sich die Kollegen auf der Betriebsversammlung aller Wahrscheinlichkeit nach ebenfalls nicht äußern. Zudem kann die Belegschaft auch nicht erkennen, welchen Standpunkt der Betriebsrat wirklich einnimmt. Das ist aber ein wichtiger Punkt, um Mehrheiten zu bilden. Und die Beschäftigten für die Durchsetzung bestimmter Projekte zu gewinnen.

Näheres zum besonderen Kündigungsschutz in Band 4

c. Methoden der Beteiligung der Beschäftigten

In vielen Betrieben funktioniert die Betriebsratsarbeit nach dem sogenannten **Stellvertreter-Modell**.

Der Arbeitgeber möchte etwas verändern oder lehnt Verbesserungen ab	→	Die Beschäftigten beschweren sich beim Betriebsrat	→	Der Betriebsrat löst das Problem

Bei diesem Modell haben die Beschäftigten eine passive Rolle und wirken an der Lösung des Problems nicht mit. Der Betriebsrat steht zwischen Belegschaft und Arbeitgeber und hat die Rolle, dieses Problem zu lösen. Gelingt es ihm nicht, muss er das der Belegschaft erklären. Da die Beschäftigten in den Prozess der Lösung des Problems nicht eingebunden waren, können sie den Gang der Verhandlungen nicht nachvollziehen. Aber was noch viel schwerwiegender ist, sie können den Betriebsrat nicht unterstützen. Nur ein Betriebsrat, der ausreichenden Rückhalt in der Belegschaft hat, wird erfolgreich sein. Der Vorwurf, der Betriebsrat hätte nicht genug getan, kann sonst schnell im Raum stehen.

Beteiligungsmodell

Mit dem sogenannten **Beteiligungsmodell** wird versucht, die Beschäftigten bei der Lösung des Problems mit einzubeziehen. Dazu findet ein enger Dialog zwischen Betriebsrat und Beschäftigten statt. Die Verhandlungen des Betriebsrats zur Problemlösung werden gleichzeitig durch Aktionen aus der Belegschaft unterstützt. Die Beschäftigten arbeiten an der Lösung des Problems aktiv mit.

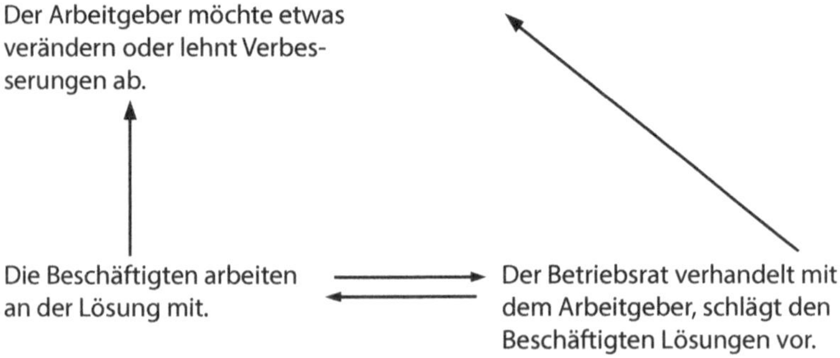

Es gibt verschiedene Methoden, um die Beschäftigten auch auf der Betriebsversammlung zu beteiligen. Jeder Betriebsrat kennt das oder hat es selbst schon einmal erlebt: Die Diskussion ist eröffnet und keiner meldet sich.

Regeln für die Diskussion

Wichtig ist, die Diskussion nach jedem inhaltlich abgeschlossenen Punkt zu eröffnen. Auch wenn der Tätigkeitsbericht noch nicht fertig ist, lässt es sich so leichter diskutieren. Das Thema ist dann noch frisch im Gedächtnis. Die Diskussionen werden zielführender sein. Da viele Menschen Hemmungen haben, vor einem großen Publikum zu sprechen, sollte man sich überlegen, wer den sogenannten »Eisbrecher« spielt. Im Vorfeld kann man einen Kollegen aus der Belegschaft oder auch aus dem Betriebsrat bitten, einen Diskussionsbeitrag vorzubereiten. Dazu können auch die Vertrauensleute der Gewerkschaft im Betrieb angesprochen werden. Gerade wenn man weiß, dass bestimmte Beschäftigte zu bestimmten Themen eine große Sachkenntnis haben oder auch eine andere Meinung als der Betriebsrat zu diesem Problem, ist es ratsam, diese im Vorfeld der Betriebsversammlung zu ermutigen, einen Wortbeitrag zum Thema zu leisten. Das gibt den Beschäftigten die Möglichkeit, ihren Diskussionsbeitrag in Ruhe zu überlegen und sich vorzubereiten.

Hinweis:
Ein Redebeitrag sollte nicht länger als 2 bis 3 Minuten sein. Sogenannte Co-Referate lassen die Diskussionsbereitschaft eher sinken, als dass sie diese beflügeln. Sie erwecken den Anschein, alles besser zu wissen als der Referent und sind nicht pointiert.

Einige weitere Methoden, um die Betriebsversammlung **beteiligungsorientiert** zu gestalten:

Methoden zur Beteiligung der Belegschaft

- **Die Kartenabfrage:** An die Teilnehmer der Betriebsversammlung werden Moderationskarten und Stifte verteilt. Sie werden aufgefordert, auf diesen Karten ihre Anregungen, Kritiken und Wünsche zu notieren. Das kann zu einem bestimmten Thema sein oder ganz allgemein, was die Beschäftigten zurzeit bewegt. Während der Betriebsversammlung, z. B. in einer Pause, werden die Karten ausgewertet und dann thematisch sortiert vorgestellt.
- **Die Wandzeitung:** Diese Methode kann man schon im Vorfeld der Betriebsversammlung einsetzen. Die Beschäftigten erhalten Gelegenheit, auf einer sogenannten Wandzeitung ihre Wünsche, Anregungen und Kritiken aufzuschreiben. Dazu kann man Stellwände benutzen, die mit Papier bespannt werden. Die Wandzeitung kann auch auf der Betriebsversammlung eingesetzt werden.
- **Meinungsbilder durch Punkte:** Will man ein Meinungsbild in der Belegschaft erheben, kann man die Beschäftigten durch Klebepunkte abstimmen lassen. Dazu nutzt man eine Stellwand und bespannt diese mit Papier. Darauf notiert man bestimmte Themen und stellt z. B. die Frage: welche Themen sind mir wichtig? Die Beschäftigten haben nun die Möglichkeit, durch das Aufkleben von Punkten ihre Themen auszuwählen. Auf diese Weise kann auch zu einem Thema abgestimmt werden. Man stellt Fragen, die schlicht durch ja oder nein beantwortet werden können, z. B. »Ich halte die Einführung von Rufbereitschaft für notwendig«. Eine Abstimmung muss nicht durch Hand heben erfolgen oder durch Stimmzettel.
- **Der Markt der Möglichkeiten:** Bei dieser Methode handelt es sich um eine Art Gruppenarbeit. Ziel ist es, die Betriebsversammlung in kleinere Gruppen aufzuteilen. Das fördert die Diskussionsbereitschaft. Aber auch die Aufmerksamkeit für die zu behandelnden Themen. Zur Vorbereitung dieser Gruppenarbeit werden Stellwände benötigt, auf denen die Themen der Betriebsversammlung visualisiert werden. Dabei wird viel mit Grafiken und Schaubildern gearbeitet. Die Gruppen gehen dann von Stellwand zu Stellwand und damit von Thema zu Thema. Bei jeder Stellwand wird zunächst durch ein Betriebsratsmitglied oder eine

andere sachkundige Person in das Thema eingeführt. Dann wird Zeit zur Diskussion gegeben. Die Diskussionsergebnisse werden auf einer Stellwand festgehalten. Sie sind dann für die nächste Gruppe gleich sichtbar und können ergänzt werden.

- **Das World Café:** Auch bei dieser Methode werden die Teilnehmer der Versammlung in kleinere Gruppen aufgeteilt und treffen an einem Tisch zusammen. Dabei sind die Tische mit beschreibbaren Tischdecken bedeckt. Es wird in das zu diskutierende Thema eingeführt. Die Anmerkungen und Diskussionsergebnisse werden auf der Tischdecke festgehalten. Die Tischdecke wird später zur Wandzeitung. Die Ergebnisse der einzelnen Gruppen des World Cafés werden zu einem späteren Zeitpunkt auf der Betriebsversammlung vorgestellt und präsentiert.

Muster zur Meinungsumfrage auf Seite 80

- **Meinungsumfragen:** Es ist möglich, die Beschäftigten z. B. vor der Betriebsversammlung zu befragen. Während der Betriebsversammlung können dann Mitglieder des Betriebsrats die Meinungsumfrage auswerten. Das verschafft die Möglichkeit, noch auf der Betriebsversammlung das Ergebnis der Meinungsumfrage zu präsentieren und zu diskutieren. Die Meinungsumfrage kann zu speziellen Themen oder ganz allgemein zur Zufriedenheit mit der Betriebsratsarbeit erfolgen.

Anträge an den Betriebsrat

Das Betriebsverfassungsgesetz sieht vor, dass die Betriebs- und Abteilungsversammlungen dem Betriebsrat Anträge unterbreiten und zu seinen Beschlüssen Stellung nehmen können (§ 45 BetrVG). In der Praxis ist dies keine oft angewandte Methode zur Beteiligung. Die Schwierigkeit besteht darin, dass die gesamte Betriebsversammlung über den Antrag abstimmen müsste, damit er dem Betriebsrat unterbreitet werden kann. Es werden allenfalls einzelne Beschäftigte zu den Beschlüssen des Betriebsrats Stellung nehmen. Auch hier wird es schwierig sein, auf der Betriebsversammlung eine Mehrheitsmeinung zu bilden. Werden Anträge an dem Betriebsrat gestellt, so sind diese für ihn jedoch nicht bindend.

Abstimmungen auf der Betriebsversammlung

Um ein Meinungsbild aus der Belegschaft zu bekommen, kann der Betriebsrat auf der Betriebsversammlung zu bestimmten Themen abstimmen lassen. Die **Abstimmung** kann durch Hand heben erfolgen, mit Stimmzetteln oder mit der weiter oben dargestellten Methode des Punkteklebens. Auch diese Abstimmungen sind für den Betriebsrat nicht bindend. Es wird jedoch schwer für ihn, nach einer solchen Abstimmung einen anderen Weg einzuschlagen als den, den die Mehrheit, der an der Betriebsversammlung Anwesenden für richtig befunden hat. Abstimmungen müssen deshalb gut vorbereitet sein. Dies zeigt ein sehr eindrucksvolles Beispiel aus der Praxis.

Beispiel:
Der Arbeitgeber eines Metall verarbeitenden Betriebs wollte den Betrieb grundlegend umorganisieren und auch neue Produktionsmethoden einführen. Es handelte sich dabei um eine Betriebsänderung. In einem solchen Fall hat der Betriebsrat das Recht, einen Interessenausgleich und Sozialplan mit dem Arbeitgeber zu verhandeln. Der Arbeitgeber war weder bereit, den Betriebsrat ordnungsgemäß zu informieren, noch war er bereit, am Verhandlungstisch zu erscheinen. Der Betriebsrat hatte deshalb einen Anwalt eingeschaltet. Auf der nächsten Betriebsversammlung erschien der Arbeitgeber und hielt eine emotionale Rede. Er drohte der Belegschaft an, den Standort zu schließen, wenn der Betriebsrat weiterhin auf seinen Verhandlungsanspruch zu Interessenausgleich und Sozialplan besteht. Im Anschluss an seine Rede erzwang der Arbeitgeber eine Abstimmung über das weitere Vorgehen. Die Beschäftigten haben sich mehrheitlich gegen den Betriebsrat entschieden.
Dem Betriebsrat ist es in diesem Beispiel nicht gelungen, die Beschäftigten für sein Vorhaben zu gewinnen. Er hat dem Arbeitgeber vorschnell das Wort erteilt. Er nutzte diese Gelegenheit, um Angst unter den Beschäftigten zu schüren. Völlig überrumpelt war der Betriebsrat von der Forderung des Arbeitgebers, doch die Belegschaft über das Problem abstimmen zu lassen. Vordergründig klingt die Forderung nach einer Abstimmung äußerst demokratisch. Aber nur gut informierte Beschäftigte können die Folgen der Ablehnung bestimmter Maßnahmen beurteilen. Wenn es der Betriebsrat zulässt, dass Beschäftigte nur Emotionen folgen, kann dies, wie im obigen Beispiel gezeigt, unangenehme Folgen haben. Besser wäre es gewesen, zuzugeben, dass man überrumpelt ist. Der Betriebsrat wäre gut beraten gewesen, die Betriebsversammlung zu vertagen, damit jeder erst einmal über die verschiedenen Argumente nachdenken kann, und vor allem der Betriebsrat überlegt, was er dem Arbeitgeber entgegensetzen kann.

Probleme bei der Abstimmung

Möchte der Betriebsrat über ein Problem im Betrieb abstimmen lassen, ist vorher erst einmal eine gute Einführung in die Problematik mit fundierten Informationen notwendig. Der Betriebsrat entscheidet, ob der Arbeitgeber vor einer Abstimmung zu dem Thema Stellung nehmen kann oder nicht. Da der Betriebsrat das **Hausrecht** auf der Betriebsversammlung hat, kann er entscheiden, wann der Arbeitgeber spricht. Leistet der Arbeitgeber einen Redebeitrag, sollte er in keinem Fall unerwidert stehen bleiben. Der Betriebsrat oder möglicherweise der Vertreter der Gewerkschaft sollte den Beitrag des Arbeitgebers vor einer Abstimmung auf jeden Fall nochmals etwas entgegensetzen.
Führt man eine Abstimmung durch, stellt sich unmittelbar die Frage: Wie agiert der Betriebsrat, wenn das Abstimmungsergebnis nicht nach seinen Vorstellungen ausfällt? Dies kann verschiedene Ursachen haben. Mög-

licherweise ist die Betriebsversammlung schlecht besucht, und das Abstimmungsergebnis kann nicht als Mehrheitsmeinung der Beschäftigten im Betrieb gewertet werden. Möglicherweise haben die Argumente des Betriebsrats auch nicht überzeugt. So oder so steht der Betriebsrat vor dem Problem, wie er nun weiter agiert.

> **Hinweis:**
> Es empfiehlt sich, vorzeitig auf der Betriebsratssitzung zu diskutieren, wie im Falle einer ablehnenden Entscheidung gehandelt werden soll. Dies gilt auch umgekehrt, wenn die Beschäftigten etwas wollen, was der Betriebsrat eigentlich ablehnt. Es kann das Dilemma entstehen, dass der Betriebsrat etwas unternehmen muss, hinter dem er nicht wirklich steht.

Bild- und Tonaufnahmen

Aus verschiedenen Betrieben kommt die Nachricht, dass Betriebsversammlungen per **Videoaufzeichnung** aufgenommen werden. Anderenorts erfolgen Tonaufzeichnungen. Begründet wird dies damit, dass Beschäftigte im Außendienst oder Beschäftigte, die aus privaten Gründen an der Betriebsversammlung nicht teilnehmen können, sich diese später ansehen bzw. anhören können.
Bei dieser Praxis besteht zunächst ein datenschutzrechtliches Problem. Bild- und Tonaufnahmen dürfen nur mit Zustimmung der beteiligten Personen erfolgen. Jede Person hat das Recht am eigenen Bild und am eigenen gesprochenen Wort. Deshalb benötigt der Betriebsrat bei Wort- und Videoaufnahmen von jedem Teilnehmer der Betriebsversammlung eine schriftliche Einverständniserklärung.
Aber neben dem datenschutzrechtlichen Problem ist viel gravierender, dass **Video- und Tonaufnahmen** die Beteiligung der Beschäftigten an der Betriebsversammlung gravierend einschränken. Wenn man sich vergegenwärtigen muss, dass der Redebeitrag jederzeit vom Arbeitgeber und anderen nochmals gehört werden kann, schränkt dies eine spontane Wortmeldung in erheblichem Maße ein. Das wirkt wie eine Schere im Kopf. Es führt auch dazu, dass jemand seine Meinung nicht oder jedenfalls nicht so deutlich äußert, wie er das sonst vielleicht täte.

> **Hinweis:**
> Auch die Praxis, nur den Tätigkeitsbericht des Betriebsrats als Video oder Tonaufnahme festzuhalten, ist keine Lösung für das oben geschilderte Problem. Es wird der Versammlung die Spontanität nehmen. Denn auch einen Tätigkeitsbericht kann das Publikum durch Zwischenrufe kommentieren. Das datenschutzrechtliche Problem löst sich durch diese Praxis auch nicht. Es besteht durchgängig die Gefahr, dass ein Teilnehmer der Betriebsver-

sammlung das Wort ergreift. Dies darf, wie oben geschildert, aufgezeichnet werden, wenn eine Einverständniserklärung vorliegt.

Schriftlicher Tätigkeitsbericht

Für Beschäftigte, die an der Betriebsversammlung nicht teilnehmen können, kann der Tätigkeitsbericht des Betriebsrats in **schriftlicher Form** gefertigt werden.[46] So bekommen sie ebenfalls einen Überblick über die Betriebsratsarbeit und die anstehenden aktuellen Themen und Probleme im Betrieb, ohne dass die Betriebsversammlung durch Ton- und Bildaufnahmen gestört wird.

d. Der Bericht des Arbeitgebers auf der Betriebsversammlung

Themen des Berichts

Das Betriebsverfassungsgesetz erlegt dem Arbeitgeber die Pflicht auf, mindestens **einmal im Kalenderjahr** über folgende Themen zu berichten:

- **Personal und Sozialwesen**
  Dieser Bericht umfasst vor allem die Entwicklung des Personalbestands, legt die Struktur der Belegschaft dar und gibt einen Ausblick über die weitere Entwicklung der Belegschaftsstärke und Zusammensetzung. Hier legt die Arbeitgeberseite die Personalplanung dar. Der Bericht über das Sozialwesen umfasst die sozialen Einrichtungen des Betriebs wie zum Beispiel die Kantine, den Betriebskindergarten aber auch die betriebliche Altersversorgung.
- **Stand der Gleichstellung von Frauen und Männern im Betrieb**
  Dieses Thema gewinnt zunehmend an Bedeutung. Es wird nochmal unterstrichen durch das Gesetz zur Förderung der Entgelttransparenz zwischen Frauen und Männern im Betrieb (EntgTranspG), das am 30.6.2017 in Kraft getreten ist. Danach müssen Arbeitgeber mit mehr als 500 Beschäftigten künftig einen eigenständigen Bericht zur Gleichstellung von Frauen und Männern und der Entgeltgleichheit erstellen. Darin müssen die Maßnahmen zur Förderung der Gleichstellung und zur Herstellung der Entgeltgleichheit beschrieben sein. Wenn der Arbeitgeber der Auffassung ist, dass in seinem Betrieb keine Maßnahmen notwendig sind, hat er dies gesondert zu begründen. Diese gesonderte Berichtspflicht nach dem EntgTranspG trifft nur Kapitalgesellschaften. Das BetrVG schreibt aber in **allen Betrieben** einen Bericht zur Gleichstellung von Frauen und Männern vor. Der Bericht für die Betriebsversammlung wird deshalb – unabhängig von der Betriebsgröße – die obengenannten Punkte umfassen müssen.

46 LAG Baden-Württemberg 10.2.1983 – 7 TaBV 5/82.

- **Integration der im Betrieb beschäftigten ausländischen Arbeitnehmer**
  Dieser Bericht gibt Auskunft darüber, wie sich die Chancengleichheit der Beschäftigten ausländischer Herkunft im Betrieb entwickelt hat: Welche Maßnahmen von Seiten des Arbeitgebers hierzu ergriffen wurden, in welcher Weise die Interessen Beschäftigter ausländischer Herkunft angemessen berücksichtigt werden und wie gewährleistet wird, dass im Betrieb ein diskriminierungsfreier Raum besteht.
- **Wirtschaftliche Lage und Entwicklung des Betriebs**
  Zu dem Bericht zählen u. a. Angaben über die finanzielle Situation, die Investitionsvorhaben, die Auslastung, den Stand der Produktion und Absatzlage, der Aufträge sowie bevorstehender Rationalisierungsmaßnahmen oder Betriebsänderungen.
- **Betrieblicher Umweltschutz**
  Dieser Bericht umfasst u. a. Informationen über den betrieblichen Umweltschutz, welche Umweltgefahren von dem Betrieb ausgehen, wie diesen Gefahren begegnet wird, welche behördlichen Auflagen existieren, welche Unfälle es gegeben hat und welche Maßnahmen ergriffen wurden.

Näheres zur Vertretung des Arbeitgebers auf Seite 49f.

Seinen Bericht muss der Arbeitgeber mündlich erstatten. Er kann sich dabei vertreten lassen. Der Arbeitgeber muss diesen Bericht auf einer Betriebsversammlung halten und kann dies nicht auf einer Abteilungsversammlung tun.

! **Diesen Bericht muss jeder Arbeitgeber halten, auch Arbeitgeber von sogenannten Tendenzunternehmen.**

Tendenzunternehmen

Begriffserklärung:
Unter **Tendenzunternehmen** versteht man Unternehmen, die sich zur Aufgabe gemacht haben, bestimmten Zielen zu dienen. Dies können politische, koalitionspolitische, konfessionelle, karitative, erzieherische, wissenschaftliche oder künstlerische Zwecke sein. Tendenzunternehmen sind auch solche, die der Berichterstattung oder der Meinungsäußerung dienen.

Beispiele:
Die klassischen Beispiele sind politische Parteien, die Gewerkschaften und karitative Einrichtungen der Kirchen und Zeitungsredaktionen.

In der Praxis ist es nicht einfach festzustellen, ob ein Unternehmen ein Tendenzunternehmen ist. In diesen Unternehmen ist die Mitbestimmung des Betriebsrats eingeschränkt. Dies bezieht sich vor allem auf die Mitbestimmung bei wirtschaftlichen Angelegenheiten. Dennoch sind auch diese Arbeitgeber verpflichtet, einmal im Jahr einen Bericht mit den oben genannten Themen, einschließlich der wirtschaftlichen Lage und Entwicklung des Betriebs, zu erstatten. Sie dürfen das Thema der wirtschaftlichen Lage und der Entwicklung des Betriebs mit dem Hinweis auf die nicht bestehende Mitbestimmung nicht ausklammern.[47]

e. Rolle der Gewerkschaften

Beauftragte der im Betrieb vertretenen Gewerkschaften können bei Betriebs- und Abteilungsversammlungen beratend teilnehmen (siehe Seite 51 f.). Aus diesem Grund ist ihnen der Zeitpunkt und die Tagesordnung der Betriebs- und Abteilungsversammlung vom Betriebsrat rechtzeitig schriftlich mitzuteilen (§ 46 BetrVG).
Das Recht der Gewerkschaften in den Betrieben aufzutreten und ihre Koalitionsaufgaben zu erfüllen, ergibt sich unmittelbar aus dem Grundgesetz. Dort heißt es:

Gesetz: Art. 9 Abs. 3 Grundgesetz (GG)
»Das Recht, zur Wahrung und Förderung der Arbeits- und Wirtschaftsbedingungen Vereinigungen zu bilden, ist für jedermann und für alle Berufe gewährleistet.«

Die Betätigung der Gewerkschaften wäre unerträglich erschwert, könnten sie ihre Aufgaben nicht direkt in den Betrieben wahrnehmen. Die Gewerkschaften sind deshalb berechtigt, die Interessen ihrer Mitglieder direkt im Betrieb zu vertreten.[48]

Rechte der Gewerkschaften

Auf der Grundlage von **Art. 9 Abs. 3 GG** hat der Gesetzgeber den Gewerkschaften im Betriebsverfassungsgesetz Befugnisse eingeräumt. Ein Betrieb ist keine »gewerkschaftsfreie Zone«, dies ließe sich weder mit dem Grundgesetz noch mit dem Betriebsverfassungsgesetz vereinbaren. Auf dieser Grundlage haben die im Betrieb vertretenen Gewerkschaften folgende Rechte:

- das Recht auf Betriebs- und Abteilungsversammlungen eingeladen zu werden und anwesend zu sein,
- ein Rederecht, das ihnen nicht entzogen werden darf und

---

47 BAG 8.3.1977 – 1 ABR 18/75.
48 BAG 28.2.2006 – 1 AZR 460/04.

- sie sind berechtigt zu verlangen, dass innerhalb von zwei Wochen eine Betriebsversammlung einberufen werden muss, wenn es der Betriebsrat im vergangenen Kalenderhalbjahr versäumt hat, eine Betriebsversammlung oder Abteilungsversammlung durchzuführen (§ 43 Abs. 4 BetrVG).

Gerade für unerfahrene und neue Betriebsräte, aber nicht nur für diese, sind die Beauftragten der Gewerkschaften bei der Betriebsversammlung eine große Hilfe. Sie kommen durch ihre Tätigkeit mit vielen Problemen in unterschiedlichen Betrieben in Berührung. Die Probleme in den Betrieben gleichen sich oftmals, auch wenn sie im Detail natürlich verschieden sind. Es gibt richtige »Trends« unter den Arbeitgebern, was sie im Betrieb umsetzen möchten. Es entsteht gelegentlich der Eindruck, »alle« Personalleiter haben die gleiche Managementschulung besucht und versuchen nun, das Gelernte in ihren Betrieben umzusetzen. Eine gute **Vernetzung mit Betriebsräten** anderer Betriebe ist für einen Erfahrungsaustausch von großem Nutzen. Man kann die Beauftragten der Gewerkschaft auf der Betriebsversammlung z. B. unmittelbar nach dem Bericht des Arbeitgebers reden lassen. Sie sind darin geübt oder sollten es wenigstens sein, spontan auf die Argumente und Behauptungen der Arbeitgeber zu reagieren. Dinge, die einem unerfahrenen, neugewählten Betriebsrat oftmals schwerfallen. Oftmals waren sie bereits anderswo mit ähnlichen Problemen konfrontiert und haben gute Lösungsansätze zur Hand.

10. Nachbereitung der Betriebsversammlung

Checkliste zur Nachbereitung der Betriebsversammlung auf Seite 81

Eine Betriebsversammlung gut vorzubereiten, beinhaltet eine Menge Arbeit, die Betriebsversammlung selbst ist oft sehr aufregend und anstrengend. Daher ist es nachvollziehbar, dass nach der Betriebsversammlung erst einmal Erleichterung eintritt, dass das Großprojekt nun abgeschlossen ist.

Näheres zum Beteiligungsmodell auf Seite 62

Auf der Betriebsversammlung selbst hat der Betriebsrat, wenn es gelungen ist, das Beteiligungsmodell umzusetzen, viele Impulse bekommen. Möglicherweise hat auch der Bericht des Arbeitgebers für Neuigkeiten gesorgt.

In der nächsten Betriebsratssitzung stehen jetzt zwei Themen auf der Tagesordnung (siehe Checkliste im Anhang 2 auf Seite 77).

Umfrage mit Fragebogen

Eine kleine **Umfrage** unter den Teilnehmern der Betriebsversammlung kann helfen, einen besseren Eindruck darüber zu bekommen, wie die Beschäftigten die Betriebsversammlung empfunden haben. Eine solche Umfrage muss nicht aufwändig sein. Ein Fragebogen könnte folgendermaßen aussehen:

Wie hat Ihnen die Betriebsversammlung gefallen:			
sehr gut	gut	geht so	gar nicht
❐	❐	❐	❐
Anmerkungen:			

Oder ein wenig aufwendiger:

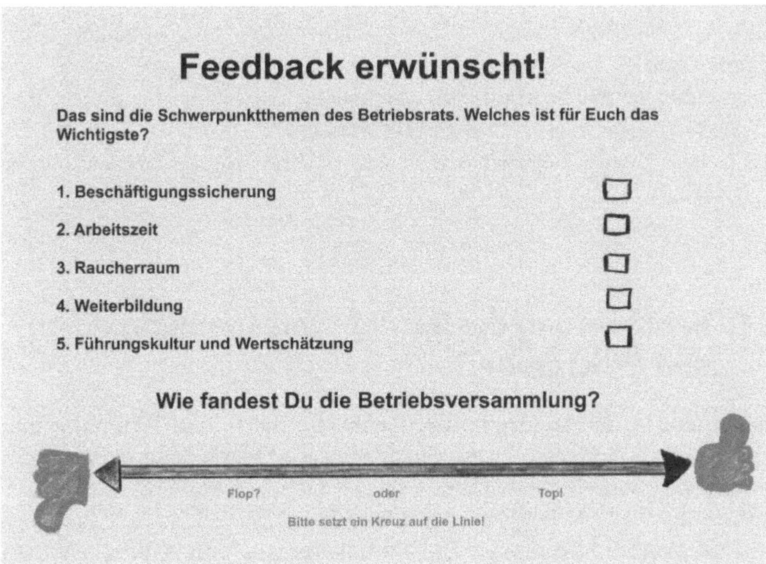
Feedback erwünscht!

Das sind die Schwerpunktthemen des Betriebsrats. Welches ist für Euch das Wichtigste?

1. Beschäftigungssicherung ☐
2. Arbeitszeit ☐
3. Raucherraum ☐
4. Weiterbildung ☐
5. Führungskultur und Wertschätzung ☐

Wie fandest Du die Betriebsversammlung?

Flop? oder Top!

Bitte setzt ein Kreuz auf die Linie!

Den Fragebogen können die Teilnehmer der Betriebsversammlung am Ende in ein Behältnis werfen. Das kann z. B. ein Karton sein. Der Fragebogen ist schnell ausgefüllt, so dass die Teilnehmer den Wunsch des Betriebsrats gerne erfüllen. Er ist nicht sehr tiefgreifend, aber er gibt ein Stimmungsbild wieder.

Überlegungen nach der Betriebsversammlung

Der Betriebsrat selbst wird sich unter anderem folgende Fragen beantworten:

- Wie sind die Themen bei den Zuhörern angekommen, waren die Berichte gut, verständlich, konnte man leicht folgen?

- Wie ist es gelungen, die Teilnehmer in die Diskussion mit einzubeziehen?
- Was machen wir nächstes Mal besser oder anders?

Sollten die ausprobierten Methoden der Beteiligung bei einzelnen Betriebsratsmitgliedern oder den Beschäftigten nicht so gut angekommen sein, darf man sich nicht entmutigen lassen. Neues muss oftmals erst Schritt für Schritt umgesetzt und geübt werden. Es ist nicht so einfach, sich vom alten Stil zu trennen, denn Veränderungen rufen Unsicherheiten und Befürchtungen hervor. Auch wenn die Betriebsversammlungen trotz neuem Schwung und Stil zunächst noch nicht besser besucht werden als früher, ist das nicht verwunderlich. Es muss sich erst herumsprechen, dass es sich wieder lohnt, zur Betriebsversammlung zu gehen.

Die nächste Betriebsversammlung steht bereits in 12 Wochen an. Deshalb wird der Betriebsrat überlegen, welche dringenden Aufgaben er bis dahin anpackt.

- Was bewegt die Beschäftigten am meisten?
- Was kann zunächst zurückgestellt werden?
- Welche Erfolge können wir bis zur nächsten Betriebsversammlung erzielen?

11. Behinderung der Betriebsversammlung durch den Arbeitgeber

Rechtliche Auseinandersetzungen über Betriebs- und Abteilungsversammlungen sind sehr selten. Sucht man Rechtsprechung zu streitigen Fragen der Betriebsversammlung in der Suchmaschine Juris, wird man auf ca. 20–30 Entscheidungen des Bundesarbeitsgerichts seit Bestehen der Bundesrepublik stoßen. Die Entscheidungen von Arbeitsgerichten und Landesarbeitsgerichten sind etwas zahlreicher. Alles in allem ist die Rechtsprechung aber sehr übersichtlich.

Verfahrensdauer

Dies kann zum einen daran liegen, dass Auseinandersetzungen zwischen Betriebsrat und Arbeitgeber über Betriebsversammlungen und wie sie abzulaufen haben relativ selten sind. Zum anderen liegt es daran, dass streitige Fragen nicht auf dem sogenannten Instanzenweg über mehrere Jahre hinweg ausgestritten werden können. Ein arbeitsgerichtliches Beschlussverfahren dauert je nach Ort des Arbeitsgerichts zwischen sieben und zwölf Monaten. Sollte die Entscheidung nochmals beim zuständigen Landesarbeitsgericht überprüft werden, vergehen in der Regel weitere zwölf Monate. Die Verfahrensdauer beim Bundesarbeitsgericht beträgt zusätzlich nochmals ca. zwölf Monate. Sie kann sich aber auch wesentlich länger hinziehen.

Eilverfahren

Gibt es Konflikte im Zusammenhang mit der Durchführung der Betriebsversammlung, wird der Betriebsrat zum Mittel des sogenannten **Eilverfahrens** greifen müssen, damit er rechtzeitig vor dem Termin der Betriebsversammlung eine arbeitsgerichtliche Entscheidung in Händen hält. In **dringenden Fällen** kann der Betriebsrat eine einstweilige Verfügung beim Arbeitsgericht beantragen.

Näheres zum arbeitsgerichtlichen Eilverfahren in Band 5

Begriffserklärung:
Das ist immer dann möglich, wenn die Angelegenheit so dringend ist, dass eine spätere Entscheidung im üblichen Verfahrensgang nicht mehr geeignet ist, den Streit beizulegen und der Betriebsrat dadurch betriebsverfassungsrechtlich garantierte Rechte verlieren würde.

Beispiel:
Würde der Arbeitgeber sich weigern, dem Betriebsrat einen geeigneten Raum für die Betriebsversammlung zur Verfügung zu stellen, müsste der Betriebsrat nicht zunächst 2–3 Jahren prozessieren, um einen geeigneten Raum zu erhalten. Dies würde anderenfalls bedeuten, dass er in dieser Zeit keine einzige der vom Gesetz vorgesehenen Betriebsversammlungen abhalten könnte. Diese Versammlungen können auch nicht einfach nachgeholt werden. Dies würde keinen Sinn machen. In diesem Fall greift der Betriebsrat zum Mittel der einstweiligen Verfügung und veranlasst das Arbeitsgericht im Wege des Eilverfahrens eine Entscheidung über den Raum der Betriebsversammlung herbeizuführen.

Sowohl für arbeitsrechtliche Beschlussverfahren als auch für einstweilige Verfügungsverfahren hat der Betriebsrat das Recht, sich durch einen **Rechtsanwalt** vertreten zu lassen. Die Kosten hierfür trägt der Arbeitgeber (§ 40 BetrVG).

Beispiele einer unzulässigen Behinderung der Betriebsversammlung:

Protokoll

- Führt der Arbeitgeber ein **Wortprotokoll** über den Verlauf einer Betriebsversammlung, stellt dies eine Behinderung der Betriebsversammlung dar. Es hindert die Teilnehmer der Betriebsversammlung an der freien Meinungsäußerung.[49] Der Arbeitgeber darf sich allerdings Stichworte notieren ohne Namen von Beschäftigten zu vermerken.[50]

Boykott der Betriebsversammlung

- Der Arbeitgeber darf weder auffordern, an einer rechtmäßig einberufenen Versammlung nicht teilzunehmen, noch öffentlich die Durchführung der Betriebsversammlung ablehnen oder die Entgeltfortzahlung und Fahrtkostenerstattung für die Betriebsversammlung infrage stellen.[51]

Umfrage vor der Betriebsversammlung

- Es ist unzulässig, die Arbeitnehmer im Vorfeld der Betriebsversammlung zu befragen, ob sie an der Betriebsversammlung teilnehmen wollen. Jeder Beschäftigte hat bis zu Beginn der Betriebsversammlung das Recht zu entscheiden, ob er die Versammlung besucht oder nicht. Der Arbeitgeber kann die Befragung auch nicht damit rechtfertigen, dass er den Betriebsablauf planen muss.[52]

Verbot der Teilnahme

- Der Arbeitgeber darf in keinem Fall Beschäftigten oder Beschäftigtengruppen, auch nicht den Leiharbeitern, untersagen, an der Betriebsversammlung teilzunehmen. Dies stellt eine Behinderung der Betriebsversammlung dar.[53]

Mitarbeiterversammlung

- Eine Behinderung der Betriebsversammlung ist es auch, wenn der Arbeitgeber sogenannte Konkurrenzveranstaltungen durchführt. Dies ist z. B. der Fall, wenn der Arbeitgeber im unmittelbaren zeitlichen Zusammenhang mit einer Betriebsversammlung eine Mitarbeiterversammlung durchführt.[54]

Verweigerung des Berichts

- Weigert sich der Arbeitgeber, seinen jährlichen Bericht über das Personal und Sozialwesen, den Stand der Gleichstellung von Frauen und Männern im Betrieb, die Integration der im Betrieb beschäftigten ausländischen Arbeitnehmer, der wirtschaftlichen Lage und Entwicklung des Betriebs und des Umweltschutzes zu halten, kann er ebenfalls durch Gerichtsentscheidung dazu verpflichtet werden.

Vorenthalten der erforderlichen Mittel

- Stellt der Arbeitgeber die erforderlichen Mittel für die Betriebsversammlung nicht zur Verfügung (Raum, Präsentationstechnik, Mikrofone etc.), ist dies eine Behinderung der Betriebsversammlung. Diese kann durch gerichtliche Entscheidung beseitigt werden.

---

49 LAG Hamm 9.7.1986 – 3 TaBV 31/86.

50 LAG Düsseldorf 4.9.1991 – 4 TaBV 60/91.

51 ArbG Darmstadt 27.11.2003 – 5 BVGa 39/03.

52 ArbG Bremen 7.12.2005 – 7 BV 68/05.

53 LAG Hamm 26.8.2005 – 13 TaBV 147/04.

54 Berg in BetrVG Kommentar, Däubler/Klebe/Wedde (Hrsg.), 20. Auflage 2026, § 42 Rn. 50 mit weiteren Nachweisen.

Anhang 1
Überblick über die Möglichkeiten von Versammlungen der Beschäftigten

Art der Versammlung	Anzahl	Voraussetzung	Besondere Folgen und Anspruch auf Vergütung
Betriebsversammlung	Einmal im Kalendervierteljahr verpflichtend	Keine, das ist der Standard.	Anspruch auf Vergütung.
Abteilungsversammlungen	Zweimal im Jahr wahlweise.	Für die Erörterung besonderer Belange von Beschäftigten in räumlich oder organisatorisch abgegrenzten Bereichen erforderlich.	Werden Abteilungsversammlungen in einem Quartal durchgeführt, entfällt in diesem Quartal die Betriebsversammlung. Anspruch auf Vergütung.
Teilversammlungen	Einmal im Kalendervierteljahr verpflichtend.	Besondere Form der Betriebsversammlung. Nur ausnahmsweise zulässig, wenn die Betriebsversammlung nicht als Vollversammlung durchgeführt werden kann (siehe Seite 23f.).	Mehrere Teilversammlungen zu denselben Themen, damit alle Beschäftigten des Betriebs Gelegenheit haben, daran teilzunehmen. Anspruch auf Vergütung.

Art der Versammlung	Anzahl	Voraussetzung	Besondere Folgen und Anspruch auf Vergütung
Außerordentliche Betriebsversammlung	Einmal im Kalenderhalbjahr, wenn notwendig.	Besondere Gründe (siehe Seite 28).	Die Pflicht, viermal im Kalenderjahr eine Versammlung durchzuführen, bleibt bestehen. Anspruch auf Vergütung.
Außerordentliche Abteilungsversammlungen	Einmal im Kalenderhalbjahr, wenn notwendig.	Besondere Gründe (siehe Seite 27).	Ersetzt die außerordentliche Betriebsversammlung in diesem Halbjahr. Anspruch auf Vergütung.
Sonstige Betriebs- und Abteilungsversammlungen	So oft der Betriebsrat es für erforderlich hält.		Außerhalb der Arbeitszeit und damit ohne Vergütung. Es sei denn, der Arbeitgeber ist damit einverstanden, dass während der Arbeitszeit getagt wird.
Betriebsversammlung auf Wunsch des Arbeitgebers	Der Betriebsrat muss die Versammlung durchführen.		Zwingend während der Arbeitszeit. Anspruch auf Vergütung.
Betriebsversammlung auf Antrag eines Viertels der Beschäftigten	Der Betriebsrat ist verpflichtet, die Betriebsversammlung durchzuführen.		Außerhalb der Arbeitszeit und damit ohne Vergütung. Es sei denn, es handelt sich um die regelmäßige, obligatorische Betriebsversammlung.

Anhang 2
Checkliste zur Vorbereitung der Betriebsversammlung

Die Vorbereitung und Durchführung der Betriebsversammlung ist Aufgabe des Betriebsrats. Der Zeitpunkt, die Themen und Inhalte, die Gäste, die Aufgabenteilung und alle weiteren Punkte sind durch Beschluss des Betriebsrats festzulegen. Dem Betriebsratsvorsitzenden steht für Inhalt und Durchführung der Betriebsversammlung nicht das alleinige Entscheidungsrecht zu. Er leitet die Versammlung lediglich und übt im Namen des Betriebsrats das Hausrecht aus. Weitere Aufgaben hat das Betriebsverfassungsgesetz in diesem Zusammenhang für den Betriebsratsvorsitzenden nicht vorgesehen.

Aufgaben	Beschreibung	Wer ist verantwortlich?	Bis wann zu erledigen?
Termin festlegen	Datum und Uhrzeit der Betriebsversammlung absprechen mit: • Arbeitgeber • Referenten • Gewerkschaft		
Ort der Betriebsversammlung	Auswahl des passenden Raums, danach Absprache mit dem Arbeitgeber		
Technik	Technik festlegen: • Beamer • Laptop • Mikrofone/Lautsprecheranlage • Rednerpult • etc.		

Anhang 2

Aufgaben	Beschreibung	Wer ist verantwortlich?	Bis wann zu erledigen?
Sitzordnung	Sitzordnung festlegen: • Theaterbestuhlung? • Tische oder keine? • Wo sitzt der Arbeitgeber? • Wer sitzt auf dem Podium?		
Inhalt festlegen	Tätigkeitsbericht des Betriebsrats: • Welche Punkte werden im Tätigkeitsbericht aufgenommen (Routinearbeit, Schwerpunkte der Arbeit, Rückblick)? • Wer arbeitet welche Punkte aus? • Wer trägt welche Punkte auf der Betriebsversammlung vor?		
Schwerpunktthema	Weitere Schwerpunktthemen neben dem Tätigkeitsbericht festlegen: • Wer bereitet die Themen vor? • Externen Referenten anfragen? • Wer trägt das Thema auf der Betriebsversammlung vor? • Zeitumfang festlegen.		
Methoden der Beteiligung	Methoden der Beteiligung der Belegschaft festlegen und Vorbereitung dafür treffen: • Wandzeitung • Kartenabfrage • Meinungsbild durch Punkte • World Café • Marktplatz der Möglichkeiten • etc.		

Aufgaben	Beschreibung	Wer ist verantwortlich?	Bis wann zu erledigen?
Moderation	Moderator/in der Diskussion und Aussprache auf der Betriebsversammlung festlegen.		
Bericht des Arbeitgebers	Fragen und Diskussionsbeiträge zum Bericht des Arbeitgebers vorbereiten.		
Gewerkschaft	Mit dem Gewerkschaftsvertreter klären, wie er die Themen des Betriebsrats unterstützen kann und welche Themen zusätzlich von ihm angesprochen werden.		
Tagesordnung und Einladung	Tagesordnung festlegen, Reihenfolge der Beiträge und Zeitdauer abschätzen, (wenn notwendig) Redezeit des Arbeitgebers begrenzen.		
Einladung gestalten	Form und Art der Einladung festlegen: • für die Beschäftigten (Erinnerung nicht vergessen) • für den Arbeitgeber • für die Gewerkschaft		
Meinungsumfrage	Meinungsumfrage vorbereiten zum Thema: Wie bewerten die Beschäftigten die Betriebsversammlung?		
Dolmetscher	• Entscheidung über die Ladung von Dolmetschern • Einladung von Dolmetschern (auch evtl. Gebärdendolmetscher)		

Anhang 3
Muster zur Meinungsumfrage

Deine Meinung ist uns wichtig!

Bitte füllt den Fragebogen gleich aus, da er am Anfang der Betriebsversammlung eingesammelt wird. Wir wollen am Ende der Versammlung das Ergebnis bekannt geben.

So ist es:

Der Betriebsrat informiert	ausführlich	①	②	③	④	⑤	mangelhaft
Der Bertriebsrat ist	leicht erreichbar	①	②	③	④	⑤	schwer erreichbar
Der Betriebsrat	setzt sich stark ein	①	②	③	④	⑤	ist zu kompromissbereit
Die letzte Betriebsversammlang war	abwechslungsreich und informativ	①	②	③	④	⑤	langweilig

Deine Meinung ist uns wichtig!

Bitte füllt den Fragebogen gleich aus, da er am Anfang der Betriebsversammlung eingesammelt wird. Wir wollen am Ende der Versammlung das Ergebnis bekannt geben.

So soll es sein:

Der Betriebsrat informiert	ausführlich	①	②	③	④	⑤	mangelhaft
Der Bertriebsrat ist	leicht erreichbar	①	②	③	④	⑤	schwer erreichbar
Der Betriebsrat	setzt sich stark ein	①	②	③	④	⑤	ist zu kompromissbereit
Die letzte Betriebsversammlang war	abwechslungsreich und informativ	①	②	③	④	⑤	langweilig

Anhang 4
Checkliste zur Nachbereitung der Betriebsversammlung

Meinungs-umfrage	Meinungsbild der Beschäftigten zur Betriebsversammlung auswerten
Beurteilung der Versammlung (Bedingungen)	• Raumgröße und -klima • Akustik und Technik • Länge der Versammlung • Beteiligung (Anzahl der Teilnehmer, Anzahl der Diskussionsbeiträge) • Moderation (sind alle zu Wort gekommen, wurde viel durcheinandergeredet?) • etc.
Beurteilung der Versammlung (Inhalte)	• Inhalt der Beiträge • Auswahl der Themen • Beitrag des Arbeitgebers • Beitrag der Gewerkschaft
Impulse aus der Belegschaft	• Anregungen aus der Belegschaft • neue Themen für die nächste Versammlung • bessere Methoden zur Gestaltung der Versammlung • etc.
Für die nächste Versammlung	• Ideen festhalten • Kritiken ernst nehmen

Stichwortverzeichnis

Kittner

Arbeits- und Sozialordnung 2026

Gesetze, Einleitungen, Übersichten – inklusive Online-Zugriff auf Inhalte, Gesetze, Rechtsprechung im Volltext
51., neu bearbeitete und aktualisierte Auflage
2026. 1.896 Seiten, kartoniert
€ 50,–
ISBN 978-3-7663-7600-8

Gesetze plus Orientierung und auf neuestem Stand – das ist seit über 50 Jahren die Erfolgsformel des jährlich neu aufgelegten »Kittner«. Einleitungen vor den einzelnen Gesetzen informieren über Entstehung, Entwicklung und Inhalte des Gesetzes und erörtern aktuelle Rechtsfragen. Der »Kittner« ist unerlässlich für alle, die über das gesamte Arbeits- und Sozialrecht auf aktuellem Stand informiert sein müssen.

Ihr Anspruch: »Jedes Betriebsratsmitglied hat ein Recht auf sein eigenes Exemplar in der neuesten Auflage.« (LAG Schleswig-Holstein v. 11.4.1995 – 1 TaBV 4/95, bestätigt durch BAG v. 24.1.1996 – 7 ABR 22/95)

Christian Schoof

Betriebsratspraxis von A bis Z

Das Lexikon für die betriebliche Interessenvertretung
(inklusive Online-Zugriff auf alle Inhalte)
17., aktualisierte Auflage
2026. Ca. 3.117 Seiten, kartoniert
€ 64,–
ISBN 978-3-7663-7602-2

Von der »Abmahnung« bis zum »Zeugnis«: Tauchen in der täglichen Betriebsratsarbeit Fragen auf, hilft der Griff zum »Schoof«. Auf neuestem Stand informiert das bewährte Lexikon über die Aufgaben, Rechte und Handlungsmöglichkeiten des Betriebsrats und über Ansprüche und Pflichten der Beschäftigten.

Das Lexikon behandelt über 210 zentrale Themen, zur Arbeit des Gremiums (wie Betriebsratssitzung, Betriebsversammlung, Geschäftsordnung) und zur Vertretung der Interessen von Beschäftigten (wie Arbeitszeitflexibilisierung, Kündigung, Versetzung).

Darüber hinaus liefert der »Schoof« grundlegendes Wissen zu sozialrechtlichen Themen wie Arbeitslosengeld, Betriebliches Eingliederungsmanagement, Pflegezeit oder Unfallversicherung. Zu allen Themen ist die wesentliche Rechtsprechung eingearbeitet und ausgewiesen.

Schwerpunkte der Neuauflage:
- Änderungen im MuSchG
- Fortlaufende Digitalisierung für Arbeitsverträge, Arbeitszeugnisse oder Elternzeit
- Inkrafttreten der europäischen KI-VO
- Koalitionsvertrag der neuen Bundesregierung

Kompetenz verbindet

Ewald Helml

Arbeitnehmer fragen – Betriebsräte antworten

Die 150 wichtigsten Fragen an den Betriebsrat
9., aktualisierte Auflage
2025. 687 Seiten, kartoniert
€ 49,-
ISBN 978-3-7663-7608-4

Sind Videoaufzeichnungen am Arbeitsplatz zulässig? Wann darf der Arbeitgeber eine Arbeitsunfähigkeitsbescheinigung anzweifeln? Und was zählt alles zur Arbeitszeit? Hier sind Antworten gefragt, die Ratsuchende leicht verstehen. »Arbeitnehmer fragen – Betriebsräte antworten« leistet dabei schnelle Hilfe. Gut strukturiert erhält der Betriebsrat konkrete Antworten auf die 150 wichtigsten Fragen der Beschäftigten. Damit kann er zuverlässig seine Funktion als erste Anlaufstelle im Betrieb und als kompetenter Arbeitnehmer-Berater wahrnehmen. Der Aufbau des praktischen Ratgebers orientiert sich am zeitlichen Ablauf eines Arbeitsverhältnisses. Die zentralen Fragen zu einem Themengebiet lassen sich so rasch nachschlagen und beantworten. Jeder Frage ist ein konkreter Fall vorangestellt, der den Einstieg in das Thema erleichtert.

Die neunte Auflage berücksichtigt die neue Rechtsprechung sowie aktuelle Themen wie mobiles Arbeiten und Homeoffice, den Beweiswert einer Arbeitsunfähigkeitsbescheinigung, Nachträgliche Änderungen im Arbeitszeugnis und wichtige Rechtsfragen zum Kündigungsrecht. Darüber hinaus wurden einige neue Fragen an den Betriebsrat sowie Tipps für die Praxis eingearbeitet.

Bund-Verlag

Kompetenz verbindet

Sebastian Fricke

Der Kommunikationstrainer

Gespräche – Sitzungen – Verhandlungen – Reden
5., überarbeitete und aktualisierte Auflage
2025. 250 Seiten, kartoniert
€ 29,–
ISBN 978-3-7663-7519-3

Betriebsräte müssen als Vertreter der Beschäftigten deren Interessen durchsetzen. Neben Sach- und Fachkenntnissen ist hier vor allem Kommunikationsfähigkeit gefragt. Dazu gehören eine kluge Wortwahl, aufmerksames Zuhören und die gemeinsame Suche nach Lösungen. Interessenvertretung bedeutet aber auch, mit dem Arbeitgeber zu verhandeln und das Verhandlungsergebnis auf einer Betriebsversammlung frei zu präsentieren. Wie Betriebsräte auch in schwierigen Situationen selbstsicher und überzeugend wirken, vermittelt dieser Ratgeber. Anhand vieler konkreter Beispiele und Übungen zeigt er, welche Arbeitsschritte nötig sind, um in einer Verhandlung das bestmögliche Ergebnis für die Beschäftigten herauszuholen.

Aus dem Inhalt:
- Gespräche führen - zuhören, reagieren, lenken
- Sitzungen leiten - strukturiert, verbindlich, aufmerksam
- Verhandlungen - klug vorbereiten und wirksam führen
- Reden halten - selbstbewusst und überzeugend

Neu in der 5. Auflage:
- Unterstützung durch Künstliche Intelligenz in kreativen Prozessen und bei der Erstellung von Texten

Bund-Verlag